Le pouvoir de l'argent et le développement solidaire

«Défis de société»

Cette collection veut faire écho aux pratiques et à la réflexion de nombreux chrétiens et chrétiennes pour qui les enjeux actuels de notre société, abordés du point de vue de l'exclusion des plus faibles, représentent aussi des interpellations de l'Évangile.

Stimulée par l'intérêt renouvelé du public pour les questions sociales, la collection «Défis de société» rêve de le voir s'élargir en un mouvement de maîtrise de notre avenir collectif. La collection souhaite, du même souffle, redonner à l'Évangile son essentielle pertinence sociale et susciter des engagements remplis d'espérance, à l'encontre de l'indifférence et de la résignation cultivées par le néo-libéralisme ambiant.

Les responsables de la collection

Lise Baroni, Montréal
Gregory Baum, Montréal
Michel Beaudin, Montréal et Longueuil
Yvonne Bergeron, Sherbrooke
Bernadette Dubuc, Québec
Robert Mager, Trois-Rivières
Louis O'Neill, Québec
Guy Paiement, Montréal
Florent Villeneuve, Chicoutimi

Collection
Défis de société

Le pouvoir de l'argent et le développement solidaire

Sous la direction de
Michel Beaudin
Yvonne Bergeron
et Guy Paiement

FIDES

Données de catalogage avant publication (Canada)

Vedette principale au titre:
Le pouvoir de l'argent et le développement solidaire
(Défis de société: 2)

ISBN 2-7621-1911-1

1. Québec (Province) – Conditions sociales – 1960- .
2. Économie sociale – Québec (Province).
3. Libéralisme – Aspect social – Québec (Province).
4. Développement communautaire – Québec (Province).
5. Québec (Province) – Conditions économiques – 1960- .
I. Beaudin, Michel, 1947- .
II. Bergeron, Yvonne.
III. Paiement, Guy, 1935- .
IV. Collection.

HN110.Q8P68 1997   306'.09714   C97-940661-7

Dépôt légal: 3ᵉ trimestre 1997.
Bibliothèque nationale du Québec.
© Éditions Fides, 1997.

Les Éditions Fides bénéficient de l'appui du Conseil des Arts du Canada et de la
Société de développement des entreprises culturelles du Québec (SODEC).

Présentation

Lors des *Journées sociales* de mai 1993, à Chicoutimi, 225 personnes, venues de toutes les régions du Québec, avaient exploré la crise du travail. Elles n'avaient alors eu aucune difficulté à discerner, derrière les transformations majeures qui affectaient le monde de l'emploi, la présence du pouvoir financier. Il n'y a pas si longtemps, le pouvoir de l'argent soutenait le pouvoir des entreprises et se comprenait comme au service de celui-ci. Mais, de plus en plus, nous assistons à l'émancipation du pouvoir financier qui, en quelque sorte, vole de ses propres ailes et suit sa propre logique. Il en résulte des transformations qualitatives dans le monde de l'entreprise et dans celui de l'administration des États. Désormais, le contrôle financier des entreprises semble l'emporter sur la production de nouveaux biens et services, la spéculation financière impose ses lois aux sociétés et à leurs gouvernements, et les grands banquiers internationaux dictent leur plan de développement aux pays qui réclament leurs fonds.

Il y a là une nouvelle situation qui semble échapper à tout contrôle démocratique et qui, pour cette raison, semble aussi échapper à notre compréhension. D'où la décision de chercher à mieux comprendre ce nouveau pouvoir. Il y a ici péril en la demeure, car nos régions sont durement touchées par les soubresauts de l'économie, et les personnes exclues s'additionnent à une vitesse folle. C'est donc sur un horizon de développement difficile, mais que nous voudrions solidaire et, par conséquent, sans exclusion, que notre préoccupation à propos du pouvoir grandissant de l'argent prend sa place.

Les pages qui suivent font écho aux réflexions qu'ont partagées les 300 participantes et participants des *Journées sociales* de Sherbrooke, du 5 au 7 mai 1995. On y trouvera une démarche similaire à celle de Chicoutimi: d'abord une réflexion menée dans les diverses régions sur l'état du développement solidaire, puis un effort pour comprendre et démystifier le pouvoir financier qui affecte en profondeur ce développement, et, enfin, une invitation à reprendre l'initiative sur nos différents terrains. Inutile de dire que nous avons alors à peine amorcé l'analyse complexe et fondamentale qui s'impose pour l'avenir. Notre audace a toutefois été récompensée: la plupart des personnes sont retournées chez elles en ayant mieux étayé leur colère devant les exclusions en cours et en s'étant engagées à poursuivre la réflexion dans leur région, à partir des marges de manœuvre existantes.

C'est pour partager ce sens du possible et lutter contre le fatalisme qui s'insinue partout que nous publions ces explorations des *Journées sociales* 1995 de Sherbrooke. Il y a ici un «défi de société» majeur à relever. Nous aimerions être de ceux et de celles qui entendent bien le faire.

Michel Beaudin
Yvonne Bergeron
Guy Paiement

1

Une solidarité économique
en pièces

Sans l'argent, peut-on vivre? De l'exclusion au développement solidaire: thème et démarche des Journées sociales 1995

Guy Paiement

Centre Saint-Pierre

Les *Journées sociales* 1993 ont abordé la question de la rareté du travail. «Sans emploi, peut-on vivre?», se demandait-on alors. La discussion de la transformation en cours de l'institution du travail était alors assez rare. Depuis ce temps, de nombreux groupes et milieux ont multiplié les débats sur l'avenir du travail. On voit mieux l'étendue du problème et la profondeur des transformations nécessaires. Le *Forum sur la solidarité sociale* qui s'est tenu à Montréal, en mars 1994, a bien montré, à cet égard, que des forces de changement étaient à l'œuvre dans tous les coins du Québec, même si les concertations demeurent encore fragiles et peu nombreuses.

Les *Journées sociales* 1995 voudraient contribuer à ce passage à une solidarité efficace dans notre milieu en soulignant deux aspects fondamentaux. Le premier concerne l'objectif visé. Pour nous, c'est la recherche commune d'un développement solidaire, et donc sans exclus, qui doit orienter nos efforts. Le second, c'est de mieux comprendre les obstacles que nous rencontrons de la part des institutions qui gèrent l'argent, et donc les moyens de réaliser le développement souhaité. Nous pensons ici, en priorité, aux politiques fiscales du gouvernement et aux jeux plus ou moins connus de la Bourse. D'où le titre du colloque: «*Sans l'argent, peut-on vivre?*» avec, en sous-titre, «De l'exclusion au développement solidaire».

D'entrée de jeu, nous supposons que toutes les personnes qui vont participer aux *Journées sociales* 1995 ont déjà une bonne conscience de l'appauvrissement qui est à l'œuvre dans notre société et de l'exclusion multiforme qui en découle. L'exclusion est à la fois sociale, professionnelle et territoriale, car les personnes exclues en arrivent à se couper de l'avenir de leur quartier ou de leur région. Nous croyons stimulant de partir du constat de ces exclusions et du manque de pouvoir qu'il engendre. La crise actuelle tend à nous convaincre que nous sommes impuissants. C'est là un piège que nous refusons. Nous voulons prendre en main le pouvoir qui nous appartient et devenir des citoyens et des citoyennes à part entière, responsables de leur vie et de leur milieu, et capables d'imaginer une autre façon de développer notre coin de pays.

Cette façon de voir notre situation nous situe

d'emblée dans le courant amorcé par la Révolution française qui affirmait conjointement «les droits de l'homme et du citoyen». Les origines bourgeoises de cette révolution sont aujourd'hui mieux connues et nous en percevons toutes les limites. Il reste que, depuis plusieurs années, nous faisons toujours plus référence aux droits humains pour motiver nos luttes et nos résistances. Mais nous savons aussi que tous ces droits peuvent demeurer lettre morte si nous ne nous donnons pas des moyens concrets pour les rendre effectifs. C'est pourquoi on redécouvre de nos jours les droits des citoyens et des citoyennes, c'est-à-dire les droits concrets des personnes qui veulent changer leur quartier, leur ville, leur région et qui exigent que l'État les aide à le faire. Il y a là une autre façon de comprendre le rôle de l'État qu'il nous faudra mieux préciser, car elle est lourde de changements possibles. La chose est particulièrement urgente dans le contexte politique qui est le nôtre: un nouveau gouvernement se met en place et il nous faudra débattre collectivement de l'avenir de notre pays.

Mais nous savons bien que de gros obstacles nous attendent si nous entendons travailler à un développement solidaire de notre milieu. Nous avons retenu deux de ces obstacles, à savoir les politiques fiscales et les jeux de la Bourse. Il s'agit là de réalités que plusieurs d'entre nous connaissent mal et qui donnent l'impression d'échapper à nos prises. Nous tenterons de les démystifier et de découvrir les marges de manœuvre qui nous permettraient de les utiliser pour le bien du plus grand nombre.

En même temps, il nous appartient déjà de

mieux identifier les multiples expériences de solidarité économique qui se tissent dans nos milieux et qui préparent un autre modèle de développement. Ces initiatives sont plus nombreuses qu'on ne le croit, depuis le petit club d'emprunt jusqu'au Fonds de solidarité, en passant par mille et une façons de réinventer la coopération. Il y a là un champ qui nous appartient et que nous pouvons agrandir dans les années qui viennent.

Somme toute, notre colloque voudrait être un temps privilégié pour prendre acte des transformations majeures qui se dessinent. Passer de l'analyse de la pauvreté à la passion du développement solidaire, cesser de parler du pauvre ou de l'exclu et promouvoir le citoyen et la citoyenne à part entière, sortir de nos solutions individuelles et entrer plus résolument dans des projets partagés. N'y a-t-il pas là, par la même occasion, une chance de retrouver, dans nos sources chrétiennes et collectives, une «mémoire dangereuse»? Chose certaine, si nous pouvons, ensemble, nous redonner du souffle, nous pourrons sûrement le retrouver à l'œuvre dans nos différents milieux et découvrir alors avec admiration qu'une foi solidaire peut encore soulever des montagnes.

La démarche d'ensemble qui est proposée s'apparente à celle que nous avons expérimentée lors des *Journées sociales* de 1993 et qui s'est montrée très pertinente. Elle comprend trois temps:

1. Un premier temps en quartier ou en région. L'objectif consiste à faire *l'analyse des solidarités socio-économiques* qui existent et qui vont dans le sens d'un développement solidaire. Un outil sera pro-

posé pour faciliter la tâche (voir annexe en fin de volume). On peut imaginer une ou plusieurs rencontres sur le sujet, au cours de l'automne.

2. Un deuxième temps, pendant l'hiver, pourrait permettre aux groupes et régions qui en ont le goût, de *s'approprier l'un ou l'autre des courts documents d'appoint* qui sont prévus et qui seront bientôt disponibles.

3. Un troisième temps, les *Journées sociales* elles-mêmes au mois de mai, à Sherbrooke, permettra la *remontée des analyses faites dans les diverses régions et des questions qu'elles portent.* Le colloque devrait aussi nous aider à mieux comprendre *les lieux et les enjeux des décisions économiques,* et à préciser *le pouvoir et les marges de manœuvre* que nous pouvons nous donner comme citoyens et citoyennes.

Allocution d'ouverture

Jean-François Malherbe

Doyen, Faculté de théologie

Université de Sherbrooke

Cette édition 1995 des Journées sociales sera consacrée à une question aussi essentielle et difficile dans notre vie sociale que la question de l'argent et de son rôle dans le développement de nos solidarités. L'argent, ressaisi dans la perspective d'une anthropologie et d'une éthique, est le plus dévoué et fidèle des serviteurs mais aussi le maître le plus tyrannique et le plus inhumain. L'argent peut nous servir comme nous asservir; nous libérer comme nous réduire en esclavage. Une telle ambivalence appelle une réflexion en profondeur, lucide, courageuse et engagée.

J'aimerais, en guise d'introduction, vous proposer quelques remarques au sujet de cette invention qui s'avère tour à tour utile médiation de nos rapports et ferment de division.

Il semble que l'argent a d'abord été monnaie c'est-à-dire essentiellement médiation. Si vous avez des chèvres à échanger contre de la toile, des ustensiles de cuisine et un lit, il peut être difficile de savoir si une chèvre vaut trois casseroles et une poêle ou un demi-lit. La monnaie semble avoir été inventée pour faciliter ces échanges. On vend une chèvre de belle apparence pour autant d'unités de monnaie avec lesquelles on achète la toile et les casseroles dont on a besoin. L'introduction de la monnaie transforme la valeur économique accordée aux choses en une valeur monétaire en unités de mesure formelle et abstraite qui simplifie le calcul des valeurs relatives.

Toutefois, des problèmes apparaissent assez vite, qui sont de différents ordres. J'en évoquerai deux.

Tout d'abord, la valeur que vous accordez à une chose dans la vie quotidienne peut différer sensiblement de la valeur que cet objet pourrait avoir sur le marché des échanges. La vieille casserole toute patinée dans laquelle vous faites cuire vos patates a sans doute plus de valeur d'usage et des valeurs d'ordre affectif que de valeur d'échange: «Objets inanimés avez-vous donc une âme?» Par contre, la terre que vous cultivez peut avoir, si le sous-sol contient des ressources naturelles que vous ignorez, bien plus de valeur d'échange que de valeur d'usage. Comment fixer équitablement les valeurs d'échange?

C'est une question sur laquelle bien des économistes et des moralistes se sont penchés et que personne n'a résolue. On sait seulement que c'est «la loi du marché» qui détermine la valeur d'échange des choses. La loi du marché, c'est-à-dire l'équilibre qui se cherche perpétuellement entre l'offre et la demande. Mais dès lors, certains acteurs économiques peuvent en manipuler d'autres. Si vous avez de grandes réserves de céréales et pas de concurrent, vous pouvez faire monter les prix. Si un concurrent survient, vous pouvez casser les prix en noyant le marché pour couler votre concurrent. À ce moment-là, l'argent devient un instrument de manipulation et de domination.

Ensuite, si au cours des échanges auxquels vous participez, vous avez accumulé des réserves de monnaie, vous pouvez les mettre sur le marché sous forme de prêt, souvent avec intérêt. Et lorsque votre voisin est endetté, vous pouvez encore lui prêter de quoi payer ses intérêts.

C'est ainsi que les pauvres deviennent plus pauvres et de plus en plus nombreux, et les riches plus riches et de moins en moins nombreux.

En ce sens, la monnaie, l'argent, est vraiment comme un microbe qui infecte notre monde et le rend malade. C'est, je crois, de cette maladie dont vous voulez vous préoccuper ces jours-ci. Et cette maladie est grave car, au nom de l'argent, on tue, on instrumentalise, on meurt. Homicide — Instrumentalisation — Mensonge — voilà trois réalités qui détruisent les solidarités dont nos rapports sociaux devraient être tissés.

On parle beaucoup d'éthique aujourd'hui. Bioéthique, éthique de l'environnement, éthique des communications, éthique des affaires. Votre préoccupation sociale indique à l'éthique des affaires son juste point de départ: la souffrance des exclus du système d'échange des biens.

C'est cette souffrance qui appelle notre réflexion, notre solidarité, notre volonté de transformer l'injustice.

C'est dans cette perspective que vous allez vous interroger sur les politiques fiscales, le pouvoir économique de l'État et celui des citoyennes et citoyens, sur la Bourse et l'endettement.

À cet égard, je crois qu'il ne faut pas hésiter à se poser des questions radicales, à considérer la racine du mal. Irions-nous, par exemple, jusqu'à nous demander ce que serait un monde, un village global, qui ne connaîtrait qu'une seule et unique monnaie et dans lequel le prêt à intérêt serait à nouveau interdit?

Fantasmes d'éthicien! diront certains. Peut-être, mais si nous ne rêvons jamais à une société différente, si nous acceptons d'emblée les règles du jeu qui produisent les injustices et empêchent nos solidarités de se développer, comment pourrons-nous changer ce qui doit l'être?

Je suis heureux que ces Journées sociales 1995 se tiennent à l'Université de Sherbrooke où, ces mois-ci, et pour les prochaines années, nous sommes affrontés à des restrictions budgétaires qui nous provoquent à faire mieux avec moins, ce que nous ne réussissons qu'avec imagination et courage. Nous ne sommes donc pas à l'extérieur des questions que vous aborderez. Et je vous invite à être exigeants envers l'Université, celle-ci et les autres. Il faut que les universités québécoises rendent à la société québécoise, sous forme de recherche et de formation, les ressources qu'elles en reçoivent.

Le développement solidaire dans les régions

Lise Baroni

Faculté de théologie, Université de Montréal

Guy Paiement

Centre Saint-Pierre, Montréal

La réalité québécoise actuelle doit faire face à de multiples transformations sociales, politiques et économiques et cela dans toutes les régions du Québec. Pareil contexte exige de la part des individus et des groupes qui se préoccupent de justice une surveillance de tous les instants. En effet, bouger, changer, innover ne provoque pas nécessairement un développement intégré, encore moins un développement solidaire de tous les groupes sociaux. Trop de personnes doivent, à cet égard, se contenter de regarder passer la parade.

Observer l'évolution présente dans sa globalité, la comprendre, analyser son rôle et sa place, discerner le plus clairement possible les enjeux propres à leur région, voilà ce que les répondants et les répondantes ont tenté de faire ici. Certes, au niveau de la problématique d'ensemble, les avis mentionnés par les régions périphériques convergent avec ceux des régions proches des grands centres urbains. Mais le regard sur leur situation propre, porté par les régions plus éloignées des centres, affermit le sentiment qu'il y a péril en la demeure. En effet, il est réaliste de penser que les prochaines années décideront de la vie ou de la mort de certains secteurs géographiques régionaux. Les populations le savent: un développement solidaire reste l'indispensable condition de leur survie.

Chacun des groupes fournira d'abord le portrait spécifique de son coin de pays *(1)*, puis fera état des réseaux humains qui œuvrent à la difficile croissance de la région *(2)*; on indiquera ensuite les obstacles rencontrés *(3)*, pour terminer par une brève élaboration des moyens qui visent à contrer les obstacles tant à la solidarité qu'au développement social *(4)*. Il est important de mentionner ici qu'aucun des rapports ne prétend à l'exhaustivité. Cependant, même si les points de vue ne peuvent que donner une image partielle de la réalité, ceux-ci demeurent hautement crédibles si l'on en juge par le degré et la qualité d'insertion des signataires dans leur milieu, qui ne font aucun doute.

La richesse de cette cueillette d'informations a naturellement conduit au dégagement de quelques enjeux de fond. Ils permettront de proposer une conclusion ouverte sur l'avenir, car l'agir concerté et solidaire pour le développement ne fait que commencer. Et, si l'on en juge par les discours entendus aux dernières *Journées sociales*, il n'est pas question que les organismes communautaires se retirent du débat. Prêtons donc d'abord l'oreille aux régions périphériques avant de nous tourner vers celles du centre.

1. RÉGIONS PÉRIPHÉRIQUES

Saguenay-Lac-Saint-Jean

Le portrait de la région

Dans le «Québec cassé en deux», la région du Saguenay-Lac-Saint-Jean fait partie de ce morceau dont la désintégration se poursuit inexorablement. La situation de l'emploi reste désastreuse. Encore en septembre 1994, le chômage s'élevait ici à 15,4% alors que la moyenne provinciale se maintenait à 12,4%. Pourtant, la population reste très déterminée à se battre et, malgré un contexte difficile, le développement social et économique se poursuit. Il avance à plusieurs niveaux:

— Avec de petits moyens: garages communautaires, centres d'horticulture, bleuetières, coopératives de toutes sortes (210 dans la région), Mouvement Desjardins, domaines de l'agro-alimentaire et des scieries, etc.

— Avec plus de moyens: les coopératives forestières issues de la volonté des travailleurs, des entreprises locales de moyenne envergure (élevage, tourisme, etc.) ainsi que quelques petites entreprises familiales, etc.

— Avec de grands moyens: les grandes entreprises (Alcan et cinq papetières) évoluent bien, mais au prix d'une très sérieuse diminution des emplois disponibles.

On trouve également, le Conseil régional de concertation et de développement (CRCD), qui a pour but de planifier le développement de la région, l'implantation du Fonds de solidarité de la FTQ, de même que des expériences comme le FRIK, par lequel des employés de Cascade souscrivent de 10 à 20 dollars par paie pour participer à l'essor de leur entreprise.

Les réseaux de développement solidaire

Les pratiques de développement citées plus haut existent bel et bien, mais leur fonctionnement restreint trop souvent à quelques privilégiés le canal de l'information disponible. C'est donc surtout chez les groupes sociaux et communautaires qu'on retrouve une préoccupation réelle de solidarité, de partenariat et de concertation régionale. Ceux-ci dénoncent, entre autres, cette séparation que l'on entretient délibérément entre les politiques sociales et économiques de la région.

Ces groupes proviennent d'origines diverses. On mentionne les organismes communautaires, les Caisses populaires, l'Union des producteurs agricoles, certaines initiatives universitaires (UQAC), les municipalités régionales de comtés, la Régie régionale, certains réseaux ecclésiaux, tels la pastorale sociale, les mouvements d'Action catholique, les comités d'action sociale dans les paroisses et le Comité d'analyse et d'éthique sociale (CADES). De plus, plusieurs groupes locaux s'intéressent à l'achat de produits régionaux, à l'organisation de mini-forums économiques, à la promotion touristique, et au déploiement d'un potentiel culturel impressionnant (*La fabuleuse histoire d'un*

Royaume, Le tour du monde de Jos Maquillon, la maison du peintre Arthur Villeneuve, etc.). Oui, la base grouille de vie, mais les obstacles s'avèrent nombreux.

Les obstacles au développement solidaire

Le rapport présente une liste d'obstacles qui relèvent de l'idéologie néo-libérale ambiante et des grandes politiques gouvernementales plutôt que du terrain lui-même. La première cause mentionnée semble être de loin la plus importante: une fiscalité déficiente et inéquitable. Par la suite se déploie un long cortège de difficultés toutes aussi majeures les unes que les autres: la technologie utilisée comme une fin plutôt que comme un moyen, une mentalité individualiste et corporatiste étroite, la centralisation et la lutte des pouvoirs, la méconnaissance, le mépris et l'exclusion des pauvres et des marginaux, une fracture de plus en plus grande entre le social et l'économique, etc.

Cependant, trois obstacles soulignent le caractère spécifique de la région: l'exode des jeunes dans les grandes villes, la fuite des leaders vers les centres culturels importants, et un bassin de population restreint et dispersé, ce qui occasionne une infra-structure organisationnelle dispendieuse, alors même que les revenus demeurent faibles.

Les solutions proposées

Pour faire face à ces problèmes, on propose quelques pistes de solution: une éducation populaire accrue qui utilise comme outil principal l'analyse sociale de la réalité; une revendication énergique auprès des entreprises afin qu'elles prennent au sérieux leur responsabilité sociale et investissent dans la région; une vulgarisation du discours social de l'Église qui le rende plus accessible et, partant, plus crédible; la recherche d'une façon d'encourager l'entrepreneurship chez les jeunes en offrant un encadrement qui n'empêche pas les marges de manœuvres nécessaires dans la réalisation de leurs projets. En dernier lieu, les deux rapports insistent sur la concertation à tous les niveaux. Ils y voient un impératif incontournable pour l'avenir de leur région:

> Aucune localité et aucun secteur ne pourront s'en tirer tout seul. D'où l'immense importance de la coopération. Celle-ci est d'abord l'affaire des gens et par la suite une question d'argent. C'est la coopération qui permet de réaliser des choses avec plus de gens et moins d'argent. *A contrario*, la technologie permet de faire plus d'argent avec moins de gens. Il ne faut pas les opposer mais les faire converger. Si nous n'avons plus d'argent (pour les grands investissements), il ne nous reste que les gens. La sagesse des anciennes corvées qui ont fait la richesse commune de la région et du Québec est peut-être à recréer, en fonction du nouveau contexte, pour une nouvelle époque[1].

---

1. Alexandro RADA-DONATH, *Se laisser «sous-développer» ou se développer solidairement?* Congrès en éthique de société, UQAC 1994, *En transition*, n° 14, mai 1994. Cet extrait est cité par Michel Desbiens dans le rapport en provenance de la Maison du Quartier à Jonquière.

Gaspé-Rimouski

Le portrait de la région

Le modèle de développement socio-économique généralement admis dans la région reproduit fidèlement l'idéologie néo-libérale à la mode. Comme partout ailleurs, les conséquences se font déjà sentir d'une façon inquiétante. Le tissu social est déchiré par les écarts grandissant entre les riches et les pauvres, des vies humaines sont atteintes par des perturbations économiques de toutes sortes, l'isolement géographique est aggravé par des décisions politiques qui choisissent la rentabilité au dépens de l'identité régionale. Tout cela fait en sorte que les organismes populaires se retrouvent sans cesse dans l'obligation de soigner des plaies, de répondre à des urgences de toutes sortes et de réparer, l'un après l'autre, les pots fracassés par un système injuste et froid.

S'appuyant sur la phrase de Emmanuel Seyni N'Dionne, sociologue sénégalais: «le plus grand résultat du développement, c'est la généralisation de la pauvreté», le rapport du Regroupement contre l'appauvrissement dans l'Est du Québec rejette ce modèle qui ne réussit qu'à pervertir la liberté sur laquelle il prétend se fonder (libre marché?... libre échange?... économie libérale?). Le groupe opte plutôt pour une forme alternative de développement, axée sur la concertation, la solidarité et la coopération. Dans ce modèle, aucune exclusion n'est admise; le développement devra se faire intégralement et assurer le bien-être de tous et toutes sans exception.

Les réseaux de développement solidaire

Cette option ne se contente pas de beaux discours. Déjà des groupes de base sont à l'œuvre tentant d'intégrer dans des projets concrets la solidarité et le développement socio-économique de leur région. Deux grands mouvements populaires: la coalition Urgence Rurale du Bas Saint-Laurent et le Ralliement gaspésien et madelinot préconisent la prise en charge collective des problèmes par la population locale. Ils offrent des lieux d'échange, de réflexion et de solidarisation, de même que des occasions concrètes de s'impliquer dans des projets de renouveau.

D'autres ont emboîté le pas: des coopératives d'habitation (Rimouski et Gaspé), des organismes de défense des droits (Saint-Omer), des projets divers parrainés par les CLSC (Bonaventure, Grande-Vallée et Matapédia), des comités locaux de développement, des regroupements de femmes (Est du Québec) et de pêcheurs (Gaspésie), des groupes communautaires (Bas Saint-Laurent, Gaspésie et les Îles), ainsi que certaines caisses populaires locales ou régionales. En ce domaine, le rapport insiste particulièrement sur la Caisse d'économie des travailleurs et travailleuses du Québec qui véhicule un véritable esprit coopératif. Cette caisse privilégie les initiatives communautaires en consentant des conditions favorables aux ouvriers et ouvrières qui désirent prendre en charge leur situation.

Finalement, on reconnaît comme maillons de la solidarité régionale, les réseaux quotidiens de base tels la famille, le voisinage, le groupe d'amis; les équipes paroissiales et diocésaines qui s'intéressent à la dimension sociale de la foi; les groupes populaires travaillant en collaboration avec les services gouvernementaux qui les supportent. Ce sont eux qui entendent les cris de pauvreté les plus stridents, ce sont eux qui gèrent l'urgence des situations les plus dramatiques, ce sont eux qui travaillent le plus directement à la recomposition du tissu social défait. Leur apport en matière de développement solidaire est trop souvent oublié. Pourtant, la plupart des obstacles les atteignent de plein front.

Les obstacles au développement solidaire

La liste présentée aligne les obstacles posés par la situation économique telle qu'elle se présente partout au Québec: la centralisation des pouvoirs, la désinformation, l'individualisme, l'abus des multinationales qui s'enrichissent au profit des régions, la mondialisation des marchés et le développement technologique destructeur d'emplois.

Bien qu'ils semblent moins nombreux, les problèmes qui relèvent de la dynamique locale ne sont pas absents du champ de conscience des auteurs. La principale difficulté se situe au niveau de la tension causée par l'exigence d'en arriver à une vision commune du développement régional et le désir de respecter les différences qui font la richesse de chacun. On parle d'esprit de clocher, de résistance au changement, de manque d'entraide, de projets fermés sur soi, de chasses gardées, de petits royaumes, etc. Il semble ardu de conjuguer le besoin de renforcement des groupes pour faire face aux attaques venues de l'extérieur et le besoin contraire de protection de l'identité personnelle et des acquis qui y sont liés. Toute période d'insécurité exacerbe parallèlement les deux pôles. Les régions de Gaspé et de Rimouski en font durement l'expérience.

À nouveau, l'exode des jeunes et des forces vives du milieu sont pointés comme des problèmes importants. Non seulement ils affaiblissent le présent mais ils hypothèquent sérieusement l'avenir. Les gens des régions éloignées espèrent qu'un jour on consentira à les entendre à ce sujet.

Les solutions proposées

Comment les auteurs entendent-ils surmonter ces obstacles? Premièrement, refuser de se laisser abattre: «Si nous croyons vraiment à ce modèle de développement, ces obstacles deviendront des défis qui nous stimuleront au dépassement, qui redoubleront nos énergie pour les vaincre.» À cet effet, des pistes de solutions sont déjà entrevues. La première vise l'orientation de fond du changement: se donner un projet de société valorisant qui accorde la primauté à la personne et à son travail plutôt qu'au superprofit à réaliser. Les autres sont des moyens pour réaliser cet objectif: se concerter, élargir les réseaux de solidarité, développer l'autonomie, la détermination et la confiance, mettre sur pied des comités locaux de développement, valoriser les produits locaux, trouver le moyen de garder les jeunes et les leaders dans la région, etc.

En terminant, soulignons simplement une inquiétude particulière: la vision du leadership qui a cours dans le milieu. Le rapport insiste sur l'importance d'accéder à une nouvelle approche du leadership, plus créative, plus entreprenante, plus partenariale et qui intègre l'écologie et les valeurs essentielles de la vie. Encore là, c'est dans le réseau communautaire que l'on retrouve le moins de résistance à expérimenter les voies nouvelles de ce développement solidaire: «C'est là que se trouvent les plus belles ressources; c'est là que l'on trouve les plus belles idées[2]».

Abitibi-Témiscamingue

Le portrait de la région

Le fond de scène de la réflexion est coloré par la prévision d'une journée diocésaine qui devait avoir lieu sur le thème «Bâtir une vie ensemble». Dans cette perspective, le développement socio-économique de la région ne pouvait être envisagé qu'en fonction d'une option dont les objectifs étaient clairs. Le rapport les rappelle brièvement: «Voir à ce que la communauté puisse vivre par ses propres moyens; exploiter les ressources naturelles de la région en tenant compte des besoins des individus et des familles; se préoccuper du respect de l'environnement; et finalement, se concerter pour que ce développement soit solidaire avec les gens du milieu».

---

2. Mathias Rioux, délégué régional pour l'Est du Québec, lors de la rencontre du 11 novembre 1994 à Amqui.

Les réseaux de développement solidaire

Les auteurs estiment que cette conception du développement imprègne déjà leur milieu. Ils le remarquent notamment au niveau des entreprises (Serres de Guyenne, fabrication de bâtonnets à Rollet, confiture de fraises à Clerval, miel à La Morandière, etc.), au niveau de l'éducation (Université du Québec, décentralisation du Cégep, réouverture de l'école de Preissac, etc.), au niveau de la santé (combat pour maintenir les centres hospitaliers à Amos, Val d'Or, La Sarre), au niveau de l'environnement (récupération et recyclage à Landrienne).

Deux organismes de concertation rassemblent des groupes stratégiques importants. Le Collectif rural d'intervention (CRI) regroupe les municipalités agricoles de la région et le Conseil régional de développement de l'Abitibi-Témiscamingue (CRDAT) se donne comme objectif d'élaborer une stratégie globale de développement durable pour les années 1995 à 2000. Pour ce qui est des réseaux de la base, plusieurs expériences nouvelles sont actuellement en cours et s'intéressent particulièrement aux jeunes.

Les obstacles au développement solidaire

Différemment des autres rapports, les auteurs s'en tiennent ici aux difficultés propres à la problématique de leur région. Un territoire immense et peu peuplé rend les projets de collaboration ardus et dispendieux. L'impératif de survie des petites localités renforce le chauvinisme et la résistance au partage. Certaines entreprises profitent d'une population captive

34

et refusent de redonner à la région une partie de ce qu'elles y prennent. Voilà qui appuie les constats déjà établis par les autres rapports.

En finale, celui-ci ajoute seulement une liste de résistances qui tiennent au défaitisme d'une population démobilisée (manque d'intérêt, apathie, peur de s'attirer des ennuis, opportunisme, etc.). Il sera important de comprendre pourquoi il en est ainsi?

Les solutions proposées

Pour remédier à ces résistances, on propose d'intensifier la formation populaire, de ne jamais oublier qu'il y a une dimension humaine aux problèmes traités, de combattre l'esprit de clocher sans, par ailleurs, tout centraliser à outrance, d'encourager l'audace, l'ingéniosité et la fermeté dans l'affirmation des droits de la région, et de former des leaders capables de surmonter les barrières qui ne manqueront pas de se dresser toutes les fois qu'on cherchera à promouvoir un développement de type solidaire.

Les Laurentides

Portrait de la région

L'objectif de la réflexion marque, il va sans dire, l'angle d'observation du milieu: regarder quels sont le rôle et la place du communautaire dans l'évolution socio-politique des Laurentides. D'entrée de jeu, le rapport dégage un premier constat: le social est subordonné à l'économique et, dans ce contexte, les organismes communautaires sont considérés comme des gérants de la dégradation d'un tissu social qui se défait à vue d'œil.

Les réseaux de développement solidaire

L'appel des décideurs politiques à la concertation provient davantage d'une incapacité de gérer seuls l'incroyable éclatement actuel du social, plutôt que d'une intention marquée de partager leur pouvoir avec les groupes de base. Pourtant, même s'il était assis autour de la table qui réunissait 24 maires, sept députés et plusieurs gens d'affaires, le Regroupement des organismes communautaires des Laurentides (ROCL) s'est senti comme «le bout du bout, du bout de la queue du chat», il a vu l'importance pour les réseaux communautaires de devenir, dans ce processus, des interlocuteurs incontournables.

La brèche est mince, mais on peut s'y infiltrer et les auteurs souhaitent que tous les groupes populaires apprennent à comprendre et à s'impliquer dans des voies économiques alternatives qui respecteront les valeurs sociales qui nous tiennent à cœur. Car il est extrêmement important de pouvoir participer à la bataille sans rien perdre de nos convictions fondamentales.

Les obstacles au développement solidaire

Le comité du ROCL voit un obstacle majeur dans le fait que nous sommes facilement enclins à remarquer les échecs en matière d'alternatives économiques (plusieurs coopératives alimentaires, d'habitation, d'emploi, etc.) plutôt qu'à étudier les avancées réalisées (comités d'emprunts, cuisines collectives, fonds de travailleurs, etc.). De même, notre faible culture en matière d'économie tranche sur la qualité de notre expertise en matière de gestion du social. Cela risque d'ancrer, chez nous et chez les autres, une sorte de sentiment d'impuissance face aux défis socio-économiques actuels et ainsi de nous enlever à jamais toute crédibilité en ce domaine. Un troisième et dernier obstacle est souligné: l'incohérence de l'Église, écartelée entre des discours prophétiques sur la justice et l'absence de politiques financières réelles sur le terrain, en pastorale sociale, par exemple.

Certes, comme les autres régions, celle des Laurentides rencontre des barrières qui relèvent de la situation mondiale actuelle: compétition accrue des marchés, croissance qui n'intègre pas l'emploi, aggravation des problèmes sociaux (11% de chômage, 12% de personnes assistées sociales, emplois précaires, 18% d'enfants pauvres, etc.). Pour le ROCL, il s'impose de prendre la parole sur ces questions et d'articuler notre prise de position de façon à relier le social et l'économique dans un même processus de développement. En cela, il rejoint les préoccupations exprimées par le rapport de la région du Saguenay-Lac-Saint-Jean.

Les solutions proposées

Les pistes de solutions ne pourront donc s'enclencher sans la formation de vastes réseaux communautaires. Celle-ci pourra être amorcée à l'occasion d'un immense forum populaire qui devrait raffermir la concertation et l'audace des gens de la région. Ce forum souhaite provoquer une concertation entre les groupes de base autour d'un choix décisif pour le changement. Voici un extrait du texte-manifeste qui tente de baliser le tournant à prendre:

Gestion de la désintégration sociale	Négociation du contrat social
— Insertion de type néo-libéral	— Élaboration collective d'un projet social
— Travail sur les effets des problématiques sociales	— Travail sur les causes et sur les effets
— Travail d'après les mandats de l'État et un projet social de type palliatif	— Concertation des groupes communautaires et forces progressistes pour œuvrer au projet social visé
— Travail sur les clientèles à risque: approche sectorielle	— Travail sur les structures et au niveau des individus: approche multi-sectorielle
— Pouvoir aux élites traditionnelles	— Démocratisation de la société, implication de tous et toutes.

Ce choix collectif commandera par la suite les stratégies à prendre pour faire valoir le point de vue, les propositions et les pistes d'intervention autour desquels les réseaux communautaires laurentiens planifieront les années qui viennent. Le ROCL ne vise rien de moins. C'est à suivre.

Conclusion

La richesse recueillie demanderait une analyse plus approfondie de la réalité des régions décrites. D'autant plus que bien d'autres paroles auraient pu y être jointes pour en compléter le diagnostic. Mais contentons-nous de conclure ce panorama sommaire en dégageant trois enjeux particuliers. Très brièvement — trop, assurément —, ils seront présentés comme des éléments visant à provoquer la discussion dans les groupes. Alors seulement, leur dégagement n'aura pas été inutile.

Le difficile passage à l'action

À la condition de respecter l'angle de vision que chacun des comptes rendus s'est donné, on peut observer, d'une part, des portraits de région précis, concrets et presque «visuels»; des organismes de développement identifiés spécifiquement, des réseaux de solidarité nommés et clairement situés géographiquement. Dans plusieurs cas, à ce niveau, on avait l'impression d'avoir affaire à une véritable photographie de la situation décrite.

D'autre part, la saisie des obstacles est souvent vague, plus difficile à camper dans la réalité du milieu. Ceux-ci occupent une immense place dans la conscience, mais semblent pourtant venir de très loin, d'un lieu flou et indéterminé, d'un ailleurs sur lequel un groupe local n'a aucune prise. Ainsi, à quelques exceptions près, les listes de difficultés dénotent une complication certaine, voire une réelle incapacité à définir les problèmes de façon à les placer à la portée d'un agir concret et réaliste.

Entendons-nous, il n'y a pas de quoi s'étonner outre mesure. Si l'on considère la complexité des conjonctures dans lesquelles vivent les régions périphériques, ce fait s'avère tout à fait normal. De plus, il indique, heureusement, le refus de solutions superficielles et simplistes. Nous l'avons dit en introduction, il ne s'agit pas de bouger pour bouger. Pourtant, l'interrogation demeure. Il faudra réfléchir ensemble à cette question et consentir à un effort d'inventivité et de concrétisation. Comme le suggère René Dubos, s'il faut savoir penser globalement, il faut apprendre à agir localement. Il semble que l'investissement des dernières années en matière de conscientisation et d'analyse commence à porter fruit; ne sommes-nous pas maintenant parvenus devant un autre défi: celui de l'intervention?

Pour prendre le tournant: un leadership de transition

Une seconde constatation retient l'attention: l'insistance sur deux réalités qui, à première vue, apparaissent contradictoires. D'un côté, la mention récurrente de ce qu'on appelle «l'esprit de clocher», c'est-à-dire une sorte de crispation sur son identité propre, sa façon de voir les choses, ses habitudes, ses acquis, son milieu. D'un autre côté, une insistance tout aussi grande sur l'importance de se donner un leadership qui favorise la concertation, qui rassemble, convoque à des projets communs et incite à s'organiser régionalement. Faut-il penser que nos intentions de travailler à un développement solidaire se situent en porte-à-faux par rapport aux désirs réels des populations des régions plus éloignées?

40

Encore là, la contradiction n'est qu'apparente, mais elle demande à être comprise. Lorsque les références traditionnelles ne répondent plus, lorsque les valeurs évoluent trop vite, lorsque les balises qui assuraient notre sécurité craquent de partout, on se ramasse sur soi pour se protéger, pour concentrer ses énergies, pour ne pas se perdre dans la bourrasque. On se plie en deux lorsqu'on sent qu'un projectile est sur le point de nous atteindre. C'est un réflexe premier qui assure une partie de la solution. Il est normal que les villages constamment menacés de fermeture se replient et résistent aux grandes visées régionales. Pourtant, ils doivent savoir que l'autre partie de la solution réside dans l'acquisition d'une plus grande force de rassemblement, dans la conviction qu'on n'est pas seul à se battre, dans la mise en commun qui permet de décupler ses modestes capacités.

Rester soi tout en évoluant positivement au service de l'ensemble, n'est-ce pas là le nouveau défi que pose, malgré elle, la mondialisation des marchés qui cherche plutôt la seule homogénéisation des espaces, le défi d'un Québec qui cherche un nouveau partenariat économique, celui des régions face au gouvernement central, celui du petit village face à sa région? Devant cette réalité qui atteint toutes les sphères de la vie sociale, les sciences de la gestion sont en train de repenser radicalement les modes d'organisation auxquels nous étions habitués. On parle d'intrapreneurship, de leadership de temps de crise, de leadership de transition, etc.

Il faudra étudier davantage les nouvelles formes de gestion adaptées aux périodes de transition et de

41

crises. Peut-être l'exode des jeunes, des professionnels et des éléments les plus dynamiques des régions périphériques trouvera-t-il dans ces nouveaux défis une partie de ses solutions. Les «forces vives», comme on les appelle dans la majorité des rapports, trouveraient peut-être moins d'attrait à la démission, si elles étaient invitées à participer activement à un leadership de passage vers l'avenir, le leur et celui de leur coin de pays.

Le passage d'une solidarité «contre»
à une solidarité «pour»

Un dernier enjeu émerge des données recueillies. Il se base sur le fait que l'on peut distinguer dans les réflexions un déplacement notable au niveau de la philosophie d'action, ou si l'on veut, de l'idéologie des groupes communautaires. Si les revendications et les dénonciations y ont toujours leur place, elles n'ont plus la fougue et l'impétuosité des années 1970 et 1980. Nous sommes passés d'une militance qui criait haut et fort ses oppositions, à une militance qui, tout en ne faisant aucun compromis sur ses options pour la justice, recherche positivement avec d'autres partenaires sociaux des alternatives aux culs-de-sac actuels. D'une solidarité unilatéralement «contre» les riches, contre les institutions et contre tous les pouvoirs, on passe à une solidarité «pour» la libération des appauvris, pour le partage du pouvoir, pour de nouvelles voies institutionnelles, pour un réel partenariat, etc.

Le point d'ancrage reste le même: celui des exclus, celui du social désintégré. Mais on semble refuser l'enfermement dans ses réseaux propres autant que dans les discours et les valeurs qui s'y rattachent. On souhaite un débat ouvert où une saine «coopération conflictuelle[3]» est préférée à l'opposition farouche qui clôt le débat, ou encore, au consensus rapide qui risque de tout neutraliser. On cherche un juste arrimage entre l'artisanal (groupes d'entraide aux relations chaudes, proches, mais parfois fermés sur eux-mêmes, etc.) et l'ensemble organisé (groupe avec assemblée générale, pensée articulée, actions concertées, etc.).

Une chose est sûre. Si ce que l'on désire au plus haut point, c'est la construction de quelque chose de neuf, d'inédit, de socialement et d'économiquement viable pour tous et toutes, cela ne sera possible que par l'arrimage de toutes les expertises et de toutes les énergies du milieu, d'où qu'elles viennent. Voilà un enjeu de taille dont il faudra aussi débattre entre nous.

---

3. Expression employée dans le rapport présenté par le groupe des Laurentides.

2. RÉGIONS CENTRALES

L'Outaouais

Le portrait de la région

Rappelons que le cœur de la région demeure un centre administratif et que 40% des emplois proviennent de la fonction publique, tant fédérale que provinciale. Inutile de dire qu'il n'existe aucun développement de ce côté, c'est plutôt l'inverse. On trouve cependant des projets de développement touristique et des projets de modernisation des industries du bois, toutes choses qui créeront certains emplois, mais qui en feront perdre dans le cas des moulins à bois et des papetières. Le développement est donc en léthargie.

Cette affirmation est amplement confirmée par l'important Rapport de la Commission diocésaine sur l'appauvrissement dans l'Outaouais, publié en mai 1994. Il en ressort un clivage important entre les villes et les campagnes; les villes concentrent les richesses et les emplois payants. Les personnes pauvres demeurent isolées et les intervenants politiques et économiques semblent peu soucieux du bien-être collectif.

Les réseaux de développement solidaire

Il existe beaucoup de petits groupes ou encore de concertations sectorielles. Mentionnons, à titre d'exemple, les gens du secteur Fournier, à Hull, qui ont mis sur pied un programme d'activités pour leurs jeunes, comme moyen de contrer la délinquance dans le quartier. Soulignons le Forum Solidarité Outaouais,

du 11 mars 1995, qui regroupait des organismes populaires, des syndicats, des groupes de femmes et des
forces vives du diocèse. Il a proposé toute une série
d'actions possibles dans les secteurs les plus divers et
impliqué les proposeurs dans leurs suggestions.

Les obstacles au développement solidaire

Avec le clivage déjà mentionné, se profile un modèle
de développement régional qui fait partie du problème. On souligne aussi que la région compte le plus
fort taux de décrochage scolaire du Québec, et les
milieux d'éducation populaire se disent impuissants à
combler ce manque de ressources. Pour leur part, les
groupes populaires luttent pour leur survie économique, ce qui leur laisse peu d'énergie pour faire de
l'éducation populaire et politique.

Les solutions proposées

Le Forum mentionné a insufflé une bouffée d'espoir aux intervenants. Il existe une tradition de travail
commun entre les groupes populaires, les syndicats,
des gens du réseau de la santé, le milieu universitaire
et des groupes de chrétiens et de chrétiennes. On
compte s'appuyer sur cette force qui s'est manifestée.
On voit plus clairement qu'il faudrait multiplier les
mini-expériences comme celle du quartier Fournier et
passer, par conséquent, de l'analyse de la pauvreté à
l'impératif du développement local. Trois CDEC sont
d'ailleurs en formation et devraient y contribuer. Le
Forum a aussi permis de préciser qu'il faudra revoir

les stratégies et les revendications en matière d'emploi en tenant compte de la crise structurelle du travail et de l'amaigrissement de l'État. Il en est de même pour le développement des programmes sociaux. Enfin, il faudra aussi apprendre davantage à influencer les prises de décision pour qu'elles aillent dans le sens des intérêts de la majorité, ce qui signifie travailler à développer l'intervention démocratique dans tous les milieux.

L'Estrie

Le portrait de la région

Plusieurs expériences de développement sectoriel existent dans la région. Pour sa part, le Conseil régional de développement a accepté de subventionner 55 projets dont près de la moitié (46,6%) concernent le développement culturel et le développement de sites naturels. Des groupes d'agriculteurs, à Saint-Camille, à Coaticook, pour ne mentionner que ceux-là, se sont donné des projets de développement. Les PEPINES (Promotion des Estriennes pour initier une nouvelle équité sociale) cherchent activement et méthodiquement à inciter des femmes à prendre leur place dans les instances de décision.

Les réseaux de développement solidaire

Des réseaux de solidarité économique se sont formés à l'occasion de la survie ou de la réorganisation d'une usine, comme cela s'est produit à Windsor. À Saint-Camille aussi. La MRC d'Asbestos a organisé une table de concertation culturelle qui a regroupé tous les secteurs impliqués: l'industrie touristique, les loisirs, etc. La ville de Sherbrooke n'est pas en reste et a mis sur pied le projet Ville en santé, impliquant des unités de l'école, de la paroisse et d'un parc. Plusieurs tables de concertation existent, qui rassemblent de nombreux groupes populaires. On mentionne également une table de pastorale sociale régionale.

Les obstacles au développement solidaire

Les obstacles viennent encore des modèles de développement, axés avant tout sur la seule croissance économique et ayant peu de liens avec le développement social. Plusieurs initiatives existent, mais l'élément rassembleur semble faire défaut. La conscience régionale demeure parcellaire, en îlots, et l'interdépendance est absente. Le manque d'objectifs communs se double d'une trop grande dépendance financière de l'État. En conséquence, on attend des fonds qui ne viennent pas et l'on est porté à ne pas agir.

Les solutions proposées

Le diagnostic réalisé jusqu'ici a permis de dégager quelques grandes orientations prioritaires. Parmi celles-ci, on pense à l'urgence de développer un «réseau global» de développement et pas seulement des réseaux spécialisés ou sectoriels et de convaincre chaque MRC de se donner un projet concret qui tiendrait compte des intérêts de tous. Il faut aussi trouver des moyens pour en arriver à plus d'autonomie financière et, entre temps, exiger que les enveloppes budgétaires de la sécurité du revenu soient remises aux municipalités pour qu'elles constituent des fonds de développement local. De même, pour éviter la récupération de la part des élites locales, il s'impose de travailler à mieux définir des objectifs communs de solidarité sociale. Enfin, ces inititatives n'auront de sens que si on développe des modèles d'intervention et de participation pour le plus grand nombre.

Valleyfield

Le portrait de la région

La région a beaucoup souffert du développement anarchique qui a abouti à vider le centre-ville de Valleyfield et à boursoufler les petits villages avoisinants devenus des banlieues. L'étendue du territoire ne favorise pas beaucoup non plus une prise de conscience régionale des problèmes et donc la recherche intersectorielle de solutions.

Les réseaux de développement solidaire

Il existe de nombreux agents de développement régional. Mentionnons la Chambre de commerce, qui rassemble les milieux d'affaires, la MRC qui s'occupe de projets touristiques et d'environnement, et les groupes communautaires qui sont au nombre de 80. Plusieurs tables de concertation existent également et regroupent des gens des milieux populaires et communautaires. Mentionnons la Table de concertation sur la pauvreté de Valleyfield, celle de Beauharnois, celle de Vaudreuil-Soulanges. Ajoutons la table de concertation des jeunes et celle des aînés. Le Carrefour des organismes communautaires du Suroît rassemble plusieurs d'entre elles. Sans compter SPQ-Suroît qui est en formation. Il faut ensuite ajouter les concertations qui rejoignent l'ensemble des intervenants de Beauharnois, la Table sous-régionale du Suroît, et aussi la tentative d'États généraux qui se préparent à Valleyfield.

Les obstacles au développement solidaire

Le grand obstacle demeure évidemment la multiplication des lieux de concertation et l'absence de conscience régionale. On a beaucoup de difficulté à intégrer les différents pôles d'influence que sont les principales villes ou villages. Les ressources sont rares et l'essoufflement est général. De plus, la pression exercée par la Régie régionale de la santé donne l'impression aux groupes de tomber sous la coupe de l'État. Les luttes ne manquent d'ailleurs pas entre les multiples groupes populaires qui se trouvent souvent mis en situation de concurrence.

Les solutions proposées

Il est urgent de développer des solidarités entre les différents groupes, de se donner des plates-formes communes sur le développement local et solidaire. Cesser de simplement réagir aux initiatives gouvernementales et préciser les propositions jugées pertinentes. À cet égard, les groupes communautaires de Beauharnois ont su développer une réflexion articulée qui montre combien ils sont des partenaires incontournables dans le développement local.

Montréal

Le portrait de la région

La ville de Montréal comprend des quartiers aussi populeux qu'une grande ville régionale. Il existe aussi, sur l'île, d'autres villes comme Lachine, Ville La Salle, etc. Le Montréal métropolitain comprend, en outre, Ville de Laval et les villes de la Rive-Sud qui, dernièrement, semblaient vouloir développer leur propre région, la Montérégie. Nous n'avons pas reçu de rapport de la banlieue. C'est pourquoi nous nous concentrerons sur Montréal, la ville.

Les réseaux de développement solidaire

Il existe, fruit des années récentes, des plans de développement économique, d'aménagement du territoire et de développement social. Mais il n'existe pas de liens entre ces différents plans, et le changement de direction à l'Hôtel de Ville rend problématique la continuité. Quant au rapport Pichette, sur le développement de la grande région métropolitaine, il est encore au stade de la discussion entre les édiles municipaux. Il existe aussi d'autres instances régionales, comme le Conseil scolaire, la Régie régionale, mais là encore, on note une absence de liens entre ces différentes instances et les divers plans de développement officiel. Dans plusieurs quartiers de Montréal, on assiste, cependant, à des efforts de plus en plus nombreux pour mettre les divers morceaux ensemble. Cela se fait autour des CDEC et des multiples concertations des groupes populaires et communautaires. C'est donc au niveau des quartiers, surtout des quartiers les plus marqués par la pauvreté, que l'on voit se dessiner des arrimages entre les divers intervenants pour travailler au développement local.

De tels efforts existent actuellement dans les arrondissements mis en place par l'administration Doré et qui comprennent, dans chaque cas, plusieurs quartiers. Citons le Sud-Ouest, qui a une bonne longueur d'avance et qui couvre la Petite Bourgogne, Saint-Henri et Pointe-Saint-Charles. Hochelaga-Maisonneuve, dans l'est, le Plateau et le Centre-Sud, Villeray, Petite-Patrie et Saint-Michel, Rosemont, Mile-End et Saint-Léonard, Snowdon et Côte-des-Neiges, des quartiers très pluri-ethniques, et enfin, l'arrondissement de Bordeaux-Cartierville, au nord. Si l'on excepte le RESO et la CDEC du sud-ouest, les autres CDEC tiennent depuis les derniers mois seulement leur première rencontre pour présenter à la population leur plan stratégique de développement. Il y a cependant là un effet d'entraînement, car chaque quartier regarde avec attention ce qui se passe ailleurs.

À partir des résultats encore tout chauds de ces diverses rencontres et en les recoupant avec les résultats du dernier colloque de la Table de concertation Justice et foi de Montréal qui, en novembre dernier, a tenu un colloque sur l'état de la concertation dans les différents quartiers, on peut dégager les tendances suivantes.

Dans la plupart des quartiers, les groupes populaires et communautaires se sont donné de multiples lieux de concertation. On y discute des efforts pour changer les conditions de vie, comme l'habitation, l'alimentation, le racisme, la prostitution, etc. D'autres groupes s'occupent de populations particulières, comme les jeunes, les femmes, les immigrés, les familles, etc.

Un certain nombre de ces groupes participent à des programmes gouvernementaux d'employabilité ou encore à des programmes de la Régie de santé. Ils se plaignent d'être souvent utilisés comme sous-contractants et quelques-uns cherchent à obtenir plus de marge de manœuvre.

Les obstacles au développement solidaire

Montréal demeure encore une juxtaposition de quartiers, et les activités qui concernent l'ensemble de la ville sont d'abord d'ordre artistique: qu'on pense au Festival de Jazz ou au Festival des films du monde. Au niveau des quartiers, l'attachement au territoire et à son développement est très inégal. Pour beaucoup de groupes communautaires, la participation aux rencontres de la CDEC ne va pas sans appréhension, car les objectifs du développement local sont encore à préciser avec les divers intervenants. La création d'emplois ne va pas de soi non plus, car on n'a pas les expertises économiques requises et l'on redoute d'être les artisans d'une simple gestion de la pauvreté. Certains n'attendent de leur CDEC qu'un financement pour leur groupe et ont certaines difficultés à considérer l'ensemble du quartier et son développement. La solidarité entre groupes n'est donc pas acquise, surtout dans les quartiers ou la concertation est encore jeune. Pour sa part, le milieu des affaires continue ses rencontres de façon indépendante dans les SIDAC et ne participe pas vraiment aux forums des différentes CDEC, à l'exception du RESO. La participation de la Ville n'est maintenant plus claire et l'on redoute des plans qui seraient décidés par le bureau du Maire, sans consultation réelle de la population. Ces craintes ne sont pas vaines.

Les solutions proposées

Malgré tout, on sent, chez beaucoup de groupes communautaires et chez d'autres partenaires, une volonté de se concerter et de chercher des solutions neuves, et c'est ce dynamisme qui constitue un espoir important pour plusieurs. Les CDEC demeurent de plus en plus des agents de rassemblement dans les différentes circonscriptions. La réalité des quartiers a d'ailleurs obligé les CDEC à imaginer des approches différentes. Pour le réseau communautaire, la nécessité de se concerter, tant au niveau des quartiers qu'entre les divers quartiers, constitue un enjeu des prochaines années. Ce qui fait problème, à ce propos, c'est la difficulté de se donner des objectifs communs de développement. Car la concertation ne peut se développer qu'autour d'objectifs partagés.

Saint-Jean-Longueuil

Le portrait de la région

La région partage la situation générale pour ce qui a trait au désengagement de l'État et aux «rationalisations» qui sévissent dans trop d'entreprises. Les conséquences sont connues: chômage imprévu à la hausse, féminisation de la pauvreté, exclusion importante de certains citoyens et citoyennes, augmentation des demandes d'aide dans les divers groupes communautaires. Ces derniers constatent que l'État fait de plus en plus appel à eux pour prendre la relève, mais sans leur fournir le financement dont ils auraient besoin. Il en découle que la plupart des groupes voient leurs efforts dépensés majoritairement dans des tâches d'urgence et dans la gérance de la pauvreté. Certains réussissent quand même à mettre de l'avant des approches de coopération et de participation des gens, comme les cuisines collectives ou les coopératives. Le rapport note l'importance des intervenants et intervenantes des CLSC et de la pastorale sociale pour regrouper les forces éparpillées et susciter des terrains de solidarité.

Les réseaux de développement solidaire

Il existe plusieurs réseaux de concertation, mais ils diffèrent selon les municipalités ou encore entre les paroisses. Longueuil est la municipalité qui compte le plus grand nombre de groupes et de réseaux communautaires de la région. Mentionnons la Table de pastorale sociale de Longueuil, la Table sur l'appauvrissement, la Corporation de développement communautaire de Longueuil, etc. Cette dernière travaille actuellement à la création d'une corporation de développement économique communautaire à Longueuil. Ailleurs, on retrouve les cuisines collectives de Saint-Hubert, Solidarité Populaire de Saint-Jean-Haut Richelieu, le Rassemblement des femmes de Saint-Jean, etc.

Les obstacles au développement solidaire

Parmi les obstacles identifiés, on mentionne les pressions économiques des bailleurs de fonds sur les groupes, si bien que ces derniers arrivent avec peine à faire accepter d'autres initiatives qui s'adresseraient davantage aux causes des problèmes ou qui pourraient soutenir des coalitions. D'où les difficultés croissantes de beaucoup de groupes qui vivotent et qui s'essoufflent à chercher de maigres subventions. D'autres difficultés viennent de l'intérieur des groupes eux-mêmes et de leur peur de perdre le contrôle ou leur liberté ou leurs acquis. Le manque d'analyse sociale chez plusieurs empêche également une action au niveau des causes structurelles, et retarde la conscientisation pour changer ensemble les mentalités. Une grande division des forces en résulte, de même que la lente montée d'une sorte de fatalisme devant l'étendue des problèmes et le rétrécissement des moyens disponibles.

Les solutions proposées

Il est indispensable de regrouper nos forces pour lutter contre le fatalisme et la tendance à se voir comme victime impuissante. Apprendre ensemble à faire une lecture des causes profondes des situations actuelles nous donnerait des outils pour nous conscientiser et nous mobiliser. En particulier, il devient urgent de développer une expertise économique dans une ligne qui tente de maintenir ensemble l'économique et le social. Il nous faut aussi favoriser certains groupes de pression et ne pas avoir peur de prendre la parole et de confronter les valeurs dominantes. Cela est aussi vrai et urgent dans les divers réseaux ecclésiaux, car il y aurait, dans l'effort pour poser des gestes concrets de formation et de transformation des situations intolérables, le témoignage d'une espérance têtue qui sait durer malgré les difficultés. Peut-être est-ce ainsi que l'on pourra parler d'un apport pertinent de notre foi chrétienne. C'est ainsi, ajoute-t-on, que l'on pourra, à long terme, construire avec d'autres un projet de société axé sur les personnes.

La Mauricie

Le portrait de la région

On peut découper cette région en trois secteurs, avec la ville de Trois-Rivières au centre, le pôle de Shawinigan dans la partie nord, et le secteur de l'autre coté du fleuve, au sud. C'est donc trois sous-régions qui ont leur propre histoire de développement et leur propre sentiment d'appartenance.

Globalement, le développement se fait par les PME dont le nombre s'élèverait à 1600 et qui sont souvent des entreprises familiales. On trouve plusieurs d'entre elles dans les chambres de commerce. L'agriculture est aussi importante et se maintient. La CDE a stimulé l'industrie du tourisme, mais il y a eu un plafonnement et l'on cherche actuellement à opérer une relance.

L'autre pôle de développement gravite autour de l'Université du Québec à Trois-Rivières (UQTR) et les divers services gouvernementaux. Il s'agit là du plus gros employeur. À Shawinigan, on trouve un réseau très actif d'action et de concertation autour du Centre Roland-Bertrand. Divers besoins liés aux conditions de vie des personnes appauvries y trouvent des services regroupés. Le Centre développe aussi toute une sensibilisation et une action politique. Mentionnons aussi que diverses PME ont développé des liens avec les écoles pour initier des jeunes à ces entreprises. À Trois-Rivières, le maire a tenté de réunir tout le monde à l'occasion de la fermeture de la papetière, mais le projet n'a pas encore levé. Sur la Rive-Sud, une bonne partie de la population qui y travaille habite à Trois-Rivières. Les solidarités demeurent alors celles de proximité, plus traditionnelles. Les regroupements municipaux n'ont pu encore avoir lieu et les concertations sont donc difficiles. Les gens qui jouissent d'une sécurité économique, tant à la ville que dans la banlieue, trouvent peu d'intérêt à se solidariser avec les gens plus démunis de certains quartiers.

Les obstacles au développement solidaire

La grande difficulté demeure une sorte de sentiment d'impuissance, un fatalisme qui mine le goût d'entreprendre. Le sentiment d'appartenance régionale est faible et chacun veut demeurer indépendant. Pour leur part, les groupes populaires éprouvent de la difficulté à se retrouver à cause de leur précarité économique. Ils sont débordés et disent ne pas avoir le temps de multiplier les tables de concertation.

Les solutions proposées

Il faudrait tabler sur le sentiment diffus de la juxtaposition des efforts et de la nécessité de se mettre ensemble pour aller plus loin. La Faculté de théologie organise des sessions qui visent à exorciser la fatalité ambiante et à outiller des intervenants. Dans les paroisses, on appuie des initiatives de prise en main, mais on est encore peu porté à faire davantage. Peut-être faudra-t-il renforcer les concertations autour des trois pôles existants comme première étape.

Conclusion: Des enjeux

Les groupes communautaires acceptent souvent plus facilement que d'autres que le développement doit devenir solidaire, c'est-à-dire ne pas créer d'exclus et comprendre toutes les dimensions des personnes et du milieu. En revanche, ils ont souvent de la difficulté à se situer dans le développement de leur quartier ou de leur région et à intégrer une perspective économique. Pourtant, leur approche communautaire constitue une piste obligée pour l'avenir et pour une autre économie. La négociation avec les autres intervenants pourrait donc se faire sur cette base.

Le financement constitue un autre enjeu majeur pour tous les groupes ou presque. À partir de la revendication de la Marche des femmes, il serait peut-être utile d'avancer la nécessité de financer des «infrastructures sociales» dans les différents milieux. Si le gouvernement décidait de donner des fonds, il faudrait ensuite décider quelle instance devrait les distribuer et sur quelles bases. La solidarité économique deviendra ainsi un objectif pour tous les groupes.

Presque personne n'a parlé de l'utilisation collective des épargnes. On laisse actuellement aux Caisses, aux banques et aux fonds de retraite le soin de placer l'argent de tout le monde. Une bonne part de cet argent va à l'extérieur des quartiers et des régions qui l'ont pourtant fourni. Pourquoi ne pas insister pour que la majeure partie de cette épargne devienne du capital de risque dans les quartiers et les régions? Pourquoi ne pas songer aussi à des fonds de développement communautaire avec une partie de cet argent? Somme toute, une réflexion importante reste encore à faire à ce sujet.

3. SYNTHÈSE DES RAPPORTS RÉGIONAUX

Éléments marquants

Le développement ne manque pas dans les différentes régions. Les CRD et d'autres groupes poursuivent des objectifs de développement. Mais, très souvent, il n'existe pas de liens entre les différents projets. La chose est vérifiable pour l'Estrie, l'Outaouais, l'Abitibi, Québec, Trois-Rivières... Dans certaines régions, comme celle du Bas-Saint-Laurent ou celle du Saguenay-Lac-Saint-Jean, on voit des débuts d'arrimage. La recherche d'un autre modèle de développement, plus endogène, est alors en gestation.

Cela n'empêche pas des groupes populaires de se concerter entre eux ou encore avec des syndicats. L'expérience est courante à Montréal, dans l'Estrie, à Québec, dans les Laurentides. À Montréal, la présence des CDEC dans certains quartiers a obligé les groupes populaires et communautaires à se situer par rapport au développement local.

Le grand obstacle demeure souvent la précarité des groupes et le manque de perspectives communes pour orienter l'avenir. Celui-ci est encore décrit en termes beaucoup plus personnels ou encore idéologiques que socio-économiques.

On discerne un grand désir de sortir de la pauvreté, du régime néo-libéral, du système de l'employabilité sans emploi, de la passivité et de la fatalité. En ce sens, beaucoup d'énergie est présente, potentiellement porteuse de changements importants. Mais les arrimages sont fragiles ou encore inexistants. Ce qui permet d'espérer, c'est la capacité d'analyse qui est très grande et le goût de dire NON à ce qui écrase l'humain, en particulier un certain modèle de développement et une économie sacralisée qui voudraient prendre toute la place.

Les enjeux et les passages nécessaires

De l'examen des rapports régionaux ressort une nouvelle conscience des enjeux en cause et des passages obligés pour l'avenir. Retenons ceux qui suivent et qui semblent particulièrement cruciaux.

1. Que le communautaire soit reconnu comme un partenaire incontournable dans les lieux de décisions.

2. De la part des groupes eux-mêmes, la nécessité de passer d'une attitude défensive à la promotion de solutions alternatives.

3. Certains estiment que les groupes doivent passer des préoccupations sociales et politiques, qui sont traditionnellement les leurs, à des préoccupations plus socio-économiques qu'ils maîtrisent très peu.

4. Cela impliquerait que l'on passe de l'étude de la pauvreté et de l'appauvrissement à l'implication dans le développement local.

5. Vu le très petit nombre de leaders charismatiques, se fait jour l'urgence de passer d'un leadership personnel à un leadership collectif autour de petites équipes souples.

6. Enfin, un certain nombre de groupes sentent le besoin de mieux comprendre tout le monde de l'économie et particulièrement celui de la finance, car on saisit bien que c'est là que se trouve le nouveau pouvoir qui veut confisquer tous les autres.

Sous-développement et exclusion: comment s'en sortir?

Guy Paiement

Centre Saint-Pierre

La carte du sous-développement

La carte du développement et du sous-développement du Québec recoupe trois corridors. D'abord un corridor Nord-Sud, autour de l'axe Saint-Jérôme-Montréal, puis en descendant le fleuve, un autre autour de Trois-Rivières et le troisième autour de Québec. C'est là que se concentrent actuellement la richesse, la population, les emplois. Le reste est constitué de deux zones en forme de banane. Une zone qui va chercher une partie de la Gatineau, l'Abitibi, le Lac-Saint-Jean et la Côte-Nord. Une autre zone tout le long de la frontière américaine, qui va chercher la Gaspésie et la région du Bas-du-fleuve, l'extérieur de Sherbrooke et le reste de la Gatineau. Ce sont des zones en déperdition rapide, avec des phénomènes connus d'exclusion de la population et de disparition des services.

Le Québec est vraiment « cassé en deux ». La population en ascension économique et sociale est de plus en plus concentrée géographiquement. De même, celle qui est en débandade est elle aussi concentrée. Ceci sans oublier les phénomènes équivalents survenus dans les grandes villes, dus, entre autres, à la spéculation qui a vidé la population des centre-villes vers les banlieues. Sont restés ceux qui ne pouvaient pas partir et les gens venus pour trouver du travail et qui ont grossi les rangs des pauvres chroniques.

La fabrication du sous-développement régional

Premier aspect: les politiques gouvernementales du Québec ont suffi à elles seules à produire le sous-développement régional que nous connaissons. Et cela dit sans minimiser l'importance des facteurs internationaux. Ainsi, c'est dans les années 1970 qu'a été votée au Québec la politique des établissements de santé et des affaires sociales, sans discussion publique sur le mode d'attribution de l'argent.

Deuxième aspect: ici, ces établissements sont gérés par l'État qui a décidé d'utiliser sa force économique et d'investir dans un modèle de développement par centres. À titre de comparaison, rappelons qu'en Ontario les services sociaux et de santé sont gérés par les municipalités. Il s'agissait pour le gouvernement du Québec de déterminer certains centres où concentrer les services sociaux et de santé. Avec le résultat qu'on n'a pas eu simplement des services, mais également des investissements économiques. La popula-

64

tion en périphérie est allée là où se trouvait le travail, c'est-à-dire dans les centres, vidant ainsi progressivement les régions de leur main-d'œuvre la plus valable, la plus jeune, avec tout ce qui en découle. Car si les jeunes s'en vont de plus en plus dans les centres, cela veut dire qu'il y a moins de familles; et s'il y a moins de familles, il y a moins d'enfants; s'il y a moins d'enfants, on ferme l'école; et si on ferme l'école, l'épicerie va fermer; et à la fin, c'est le bureau de poste qui ferme...

Bref, restent là les vieux, les personnes malades, les gens qui ne veulent pas s'en aller, par entêtement. Et le résultat, c'est qu'ils ont payé toute leur vie le sous-développement qui est le leur vers la fin de leurs jours. Et ils ont subventionné, si l'on peut dire, les centres. À la fin, ils se trouvent à avoir moins de services que l'idéologie officielle ne l'avait présenté, alors qu'au Québec on est censé avoir partout le même accès aux mêmes services. Ce qui est complètement faux.

Cette politique centrée sur un modèle de développement a eu des *effets pervers*. Au bout de 30 ans, cela a forcément abouti à créer des pôles d'attraction. Et aujourd'hui, les petites villes connaissent le sort des villages. De même, l'appauvrissement de Montréal a aussi quelque chose à voir avec son vieillissement. On peut constater dans les groupes populaires la *déperdition des ressources humaines*. Ceci a aussi énormément de conséquences politiques. C'est peut-être la première fois dans l'histoire du Québec que les jeunes ne représentent plus une force démographique capable de susciter des mouvements politiques, ou encore de forcer l'entrée dans une nouvelle ère, comme ce fut le cas pour l'ère industrielle ou pour la révolution tranquille avec son besoin d'écoles pour tous les jeunes, etc.

Dernière constatation: l'*exode des jeunes et la dévitalisation des régions*. Lorsqu'un jeune décide de quitter son territoire d'origine, que ce soit un quartier de Montréal ou une région comme l'Abitibi, c'est le résultat d'une décision qui en suppose une autre au préalable. La première, c'est le refus de s'identifier au territoire où il se trouve. C'est-à-dire qu'il ne veut plus être du côté des perdants. Une fois cette équation faite, il va s'en aller à la première occasion. Dans une perspective d'éducation des adultes, il est intéressant d'observer qu'il y a donc deux temps dans la prise de décision: si les jeunes s'en vont sans être passés par le refus de leur identité régionale, ils vont aller se former et, éventuellement, ils voudront revenir. Par contre, s'il y a eu condamnation de la région, ils ne reviendront pas. Ce qui entraînera une absence de ressources pour la revitalisation de la région.

Le contenu de la «disquette» qui a programmé ce sous-développement...

Il y d'abord la *disparition du territoire comme entité*, au profit de la division administrative. Au Québec, il n'y a plus de territoire, il n'y a désormais que des divisions administratives. Et c'est là un monde complètement différent. Pendant des années, l'exploitation des ressources naturelles se faisait dans les territoires. Puis, cela a été considéré comme des ressources indépendantes que l'on pouvait sortir sans se préoccuper du territoire. Encore là, un modèle de développement axé sur les centres a produit le siphonnage des ressources du territoire. Et le territoire a disparu au Québec, depuis plusieurs années.

La deuxième disparition à survenir a été la *disparition de la structure sociale* au profit du fonctionnement. On ne s'occupe plus aujourd'hui que de fonctionnement: comment ça fonctionne, les dysfonctionnements, les malfonctionnements... On considère qu'il y a des individus qui fonctionnent mal dans la société, mais on ne remet pas en cause la structure de la société. La structure sociale est occultée.

Avec le résultat que *l'intervention sociale qu'on a mise en place fait partie non de la solution mais du problème*. L'intervention sociale devient le moyen de gérer les disparitions: celle du territoire et celle de la structure sociale. C'est l'art de couper la réalité en tranches de saucisson. Et le découpage de la réalité dans l'administration du remède fait partie du problème. Il y aurait une critique à faire de l'intervention sociale basée sur ce modèle, à tous les échelons, dans tous les ministères. C'est-à-dire le modèle basé sur le découpage de la réalité, le fonctionnement et le non-fonctionnement, un modèle où l'on ne vise pas à remettre en cause le lien entre la fonction et la structure, et encore moins avec la signification, mais à faire que les individus fonctionnent un peu mieux: que le fugueur soit moins fugueur, l'alcoolique moins alcoolique, etc. On ne s'occupe plus des problèmes structuraux actuellement.

Trois formes d'exclusion interreliées

L'exclusion sociale et la structure sociale. — Ce n'est pas évident qu'une personne qui est réduite à une série de rondelles d'oignon va être capable de se sentir partie prenante d'une société. L'exclusion sociale a quelque chose à voir avec la gestion de la société basée uniquement sur le fonctionnement et le malfonctionnement.

L'exclusion professionnelle et le modèle de développement «binaire». — L'exclusion professionnelle est liée au modèle de développement en place. Tant qu'on n'aura pas remis en question le modèle de développement axé sur les gagnants et les perdants, on va entrer dans le jeu et on ne fera pas partie de la solution. Accepter de définir le développement de façon binaire fait partie du problème et crée systématiquement des exclusions. Il faut donc échapper à l'emprise de ce modèle pour imaginer sur d'autres bases la question du développement. À ce moment, l'exclusion professionnelle aura des chances de trouver des solutions réelles. Autrement, on va mettre en place de multiples programmes, comme on le fait actuellement, mais comme on n'a pas remis en cause le modèle de développement qui les sous-tend, on ne peut qu'aboutir au même résultat: de nouveaux exclus. On va mettre les gens dans des programmes pour développer leur employabilité et ils vont devenir du *cheap labour* de toute façon. Et ceux qui sont en haut, s'ils ne font pas partie des *winners*, descendront et développeront une agressivité contre ceux qui sont en bas, et ainsi de suite.

L'exclusion territoriale et la disparition de l'organisation sociale. — L'exclusion territoriale est liée aux autres formes d'exclusion. Elle se trouve renforcée aujourd'hui par la révolution de la technologie de l'information qui supprime le territoire et, en particulier, la dynamique humaine qui l'organise. On fait disparaître le territoire, et les gens qui en sont exclus ne peuvent rien faire, semble-t-il. Il ne s'agit pas simplement, ici, d'un lopin de terre. Le territoire définit un ensemble, une localité physique déterminée qui est constituée de ressources naturelles, d'un ensemble de populations qui sont en interaction les unes avec les autres et avec les ressources également. La notion de territoire réfère donc à ces trois éléments réunis. Et la disparition du territoire signifie que, désormais, on a seulement une division administrative, et donc une réalité à gérer, et non plus un ensemble de communautés qui sont en interaction ensemble avec un environnement dont il faut aussi tenir compte pour l'avenir. Quand le territoire disparaît, disparaissent également les populations en tant qu'organisations.

Pour une reprise de la solidarité sociale: relier des exclusions

Relier ensemble les formes de l'exclusion permet de voir que si l'on ne travaille pas à résoudre l'exclusion et la gestion du territoire, la *solidarité sociale* ne pourra pas se recomposer, ni servir à recoller les morceaux. Et l'on aura des politiques d'éducation des adultes qui seront des culs-de-sac. On en a un exemple avec l'employabilité qui permet, pour une part, de combattre l'exclusion sociale. Mais si les efforts d'employabilité ne sont pas *arrimés* aux efforts de formation professionnelle et à la reprise de gestion du territoire, c'est l'impasse. Ce n'est pas parce que l'on permet à des personnes de retrouver un minimum d'insertion sociale grâce à des programmes à l'intérieur d'un groupe communautaire que les gens vont vraiment se trouver de l'emploi. Et lorsqu'ils n'en trouvent pas, c'est le retour à la case départ.

De même, pour les groupes qui s'occupent de formation professionnelle et qui pensent que si les travailleuses et les travailleurs avaient de meilleurs outils de formation, plus modernes et mieux ajustés au monde du travail, on pourrait vraiment mieux intégrer les gens au marché du travail. Sauf que l'on découvre que, sur les lieux de travail, les gens ont des problèmes d'insertion sociale. Par exemple: la drogue, les problèmes familiaux, l'absentéisme au travail. Le problème de l'exclusion sociale qu'on n'a pas voulu gérer ailleurs se retrouve de toute façon dans le monde du travail. Cela revient à dire qu'il y a là deux dimensions distinctes, et que s'occuper de formation à l'employabilité, ce n'est pas la même chose que s'occuper de formation professionnelle.

Enfin, la gestion du territoire devrait permettre une reprise de la solidarité sociale sur d'autres bases peut-être plus accessibles à tout le monde: moins idéologiques. Tout le monde peut voir un quartier qui se tient, qui met ensemble toutes sortes de groupes, un quartier en santé. Tout le monde comprend alors qu'on parle de recomposition sociale et de solidarité. Au fond, c'est là qu'est l'avenir. Alors que si chacun s'en va tout seul dans son coin, sans s'occuper de son milieu, c'est foutu. Il y aurait là une possibilité de retrouver des éléments de solidarité sociale. Et cela devrait se faire en lien avec une *redéfinition de la citoyenneté* qui s'appuierait sur la redécouverte du territoire et de la nécessité de le gérer collectivement.

2

Retrouver
son chemin

En terre de Canaan
«Le Québec, c'est notre Canaan!»
(messe québécoise)

Guy Paiement

Centre Saint-Pierre

Il était une foi(s)

Quand les tribus sont sorties du désert et sont entrées en Canaan, une autre page de leur libération s'est écrite, bien différente de la première. En quittant l'Égypte, elles avaient quitté l'oppression, l'exploitation du plus fort. Dans le désert, elles avaient dû mûrir leurs choix et mieux comprendre ce Dieu nomade qui les avait remis en route. Arrive enfin la terre promise! On se bat, on fait des alliances avec les tribus déjà en place et, assez rapidement, on s'installe dans ce pays qui apparaît comme un vrai cadeau du ciel.

C'est alors que les tribus nomades découvrent une autre culture, plus sédentaire, avec ses divinités qui assurent la fertilité des familles et des champs. Peu à peu, on s'acclimate et l'on emprunte des rites locaux. Les cycles de la vie deviennent plus importants que l'austère cheminement nomade. La loi du plus fort, cette grande loi de la vie naturelle, fait des disciples. L'exploitation de son semblable devient normale. Les inégalités sociales se développent. À son tour, le rituel liturgique masque les multiples injustices sociales qui se répandent de plus en plus. La foi est devenue débonnaire, conciliante, capable de cautionner les dérives qui font pourtant souffrir des gens.

On connaît la suite. Certains prophètes vont intervenir et tenter de ramener le peuple à la foi dans le Dieu qui libère et qui remet en liberté. Mais ils ne pourront pas le faire sans intégrer quelque chose de la nouvelle culture. Ils parleront de Dieu qui est la vraie source de vie, qui donne la terre à la condition qu'y règne la justice. La prospérité est bonne et bénie si elle profite à tout le monde. Même chose pour les liturgies: elles sont utiles si elles donnent le goût de combattre les injustices et d'établir le droit pour tous les habitants du pays. Autrement, elles font vomir Dieu!

Une espérance avec des mains

Notre situation n'est sans doute pas si étrangère à ces expériences que rapportent ces vieux récits de notre tradition spirituelle. Nous faisons partie d'un monde où les cycles de l'économie et de la consommation sont devenus sacrés. On ne peut guère y toucher. Ils planent au-dessus de nos têtes comme une sorte de divinité. Fatalité est son nom. Ses grands prêtres nous promettent le bonheur si nous la servons avec empressement. Et tout le monde court et tout le monde danse! Pour elle, certains doivent renoncer à leur famille, à leur pays, à leur religion même, et aller de par le monde où elle les réclame. Malheur à ceux et à celles qui ne respectent pas ses lois de la performance: ils seront mis hors-jeu et devront se contenter de la pitance publique ou de la charité privée!

Beaucoup de gens, cependant, commencent à voir que cette divinité leur enlève tout sens critique et qu'elle stimule trop leur goût compulsif de posséder n'importe quoi. Beaucoup voient surtout qu'elle ne tient pas ses promesses. Leur capacité de consommer est chaque jour plus menacée et leurs jeunes ne croient pas à l'avenir. Malgré tout, ils continuent de donner une bonne part de leur vie à la divinité et à ses messagers.

Les groupes populaires eux-mêmes et les Églises n'échappent pas à son emprise. Pris dans la crise financière comme tout le monde, les groupes acceptent les programmes du gouvernement et découpent les gens en de multiples «problèmes» quelque peu techniques. Certaines Églises font comme les gouvernements et coupent dans des services qui ne s'avèrent pas «rentables», comme ceux qui s'occupent de la condition féminine ou qui forment des jeunes à la critique et à l'action sociale dans leur milieu. Des intervenants justifient leur peur d'agir dans les dossiers chauds en affirmant que «les gens ne sont pas prêts». La fatalité est ainsi travestie et intériorisée en obéissance au «réel», quand elle ne prend pas le visage souriant et détendu de la sagesse.

Mais beaucoup de mini-prophètes sont là. Un peu partout. Certains défendent sans bruit la dignité des gens exclus en se disant que c'est aussi la leur qu'ils maintiennent vivante. D'autres cherchent des façons de redonner du pouvoir aux plus mal pris au lieu d'en faire des consommateurs de dépannage. Plusieurs ont changé leur style de vie et portent un plus grand respect à tout ce qui est fragile, depuis les enfants de leur quartier qui n'ont pas déjeuné, jusqu'aux oiseaux et aux arbres de leur milieu. D'autres risquent leur réputation pour que les femmes trouvent une autonomie financière. Certains ont créé un club d'emprunt à l'intention des jeunes couples endettés du quartier. Des groupes stimulent tout leur milieu à soutenir une poignée de jeunes décrocheurs et répètent sans arrêt que la lutte à la pauvreté est sociale.

Tous ces prophètes de la vie quotidienne ont en commun de dire NON à l'intolérable et en particulier à la fatalité ambiante. Ces présences vigilantes se sentent responsables des enfants d'après-demain et du milieu qu'ils trouveront. Elles n'ont rien contre l'économie, contre les banques, contre les nouvelles technologies. Mais elles cherchent à y introduire le plus de monde possible pour que la société ne soit plus cassée en deux et que la communion au pain de vie devienne le signe reconnu de leur foi.

Terre du Québec, terre de Canaan! N'entends-tu pas le Souffle turluter et taper du pied?

La marque sur le front et sur la main

Guy Paiement

Centre Saint-Pierre, Montréal

Un vieux livre qui fait réfléchir

En pensant à la situation économique qui est la nôtre, le souvenir du livre de l'Apocalypse m'a stimulé. Tout le monde sait que la situation qui a donné naissance à ce livre a comme toile de fond l'Empire romain et le commerce international qu'il régentait. Rome se servait de ses conquêtes militaires pour siphonner les richesses des pays conquis et les faire affluer dans la ville impériale. Elles servaient à engraisser une classe privilégiée qui n'avait même plus besoin de travailler. La classe des travailleurs, grossie des exclus de tout l'Empire, assurait les travaux pour une bouchée de pain et une place au cirque, où l'on pouvait se défouler en assistant à la mise à mort des récalcitrants.

Parmi les opposants, on comptait des chrétiens et des chrétiennes de toutes conditions qui refusaient la prétention impériale à se draper des habits de la divinité. L'auteur du livre les invite d'ailleurs à démystifier la propagande officielle, qui se présente «comme un agneau, mais qui parle comme un dragon». Il rappelle que tout le monde, «petits et grands, riches et pauvres, hommes libres et esclaves», demeure profondément marqué par les prodiges et le pouvoir de séduire de cet appareil officiel. Chacun est marqué sur le front, c'est-à-dire dans sa façon de penser, et sur sa main droite, c'est-à-dire dans son travail: «...et nul ne pourra rien acheter ni vendre s'il n'est marqué au nom de la Bête ou au chiffre de son nom» (*Ap* 13,17). La main droite représente aussi celle qui prête serment et qui cautionne tout le système officiel. Mais l'auteur invite aussitôt à réagir «car il est venu le temps d'avoir du discernement!» (v. 18). Il n'y a ici aucune réalité divine. Aucune fatalité toute-puissante. Il s'agit d'un pouvoir imposé par des hommes.

La mondialisation des échanges

Je ne peux m'empêcher de penser que cette situation de nos ancêtres dans la foi ressemble beaucoup à la nôtre. Comme eux, nous sommes profondément marqués par l'idéologie officielle. Travailleurs ou chômeurs, jeunes ou aînés, hommes ou femmes, nous avons accepté le discours néo-libéral qui nous martelle tous les jours, dans les médias, que «nous n'avons pas le choix». Nous sommes tenus de souscrire à la direction indiquée par ceux qui savent où se trouve notre bonheur. Nous devons leur faire confiance, leur sacrifier nos acquis sociaux, nos conditions de travail, nos balises démocratiques, nos prétentions culturelles, notre avenir, en somme notre vie. Et pourquoi devons-nous accepter tous ces sacrifices, toutes ces restructurations, toutes ces «rationalisations», toutes ces mises à pied, toutes ces exclusions, toutes ces détresses psychologiques? Parce que nous sommes entrés dans une ère nouvelle! Nous sommes inéluctablement embarqués dans une globalisation sans précédent des échanges. La planète est devenue un grand marché où tout doit circuler librement et sans entraves. De ce grand jeu jaillira la prospérité universelle! Évidemment, plusieurs éprouvent des résistances, tentent de s'accrocher au passé, veulent défendre ce qui leur reste d'État ou encore leurs privilèges. Mais ce sont là des batailles d'arrière-garde. La raison n'est pas de leur côté, nous assure-t-on!

L'urgence de discerner

Comment expliquer que cette construction idéologique officielle exerce tant de fascination et suscite si peu d'opposition? Les raisons sont évidemment nombreuses, mais j'en vois deux principales. La première tient à l'accord profond que rencontre cette vision d'une terre devenue toute petite, unifiée, tapissée par des réseaux multiples de communications et d'échanges. Une sensibilité catholique ne peut que vibrer devant les possibilités incroyables qu'ouvrent les nouvelles technologies de l'information. L'étranger, situé à l'autre bout de la terre, devient mon proche. La planète Terre ressemble à un grand jardin qu'il faut cultiver avec attention, car il pourrait nourrir beaucoup d'affamés. Les nouvelles technologies permettront à des masses oubliées de pouvoir entrer enfin dans notre ère moderne et sortir de leur misère ancestrale.

Le problème, c'est que cette vision idyllique n'a pas grand-chose à voir avec la mondialisation qu'on a réussi à nous vendre. Elle est plutôt un travestissement qui masque une autre réalité beaucoup moins fleur bleue. Ainsi est-il faux de croire que tous les peuples sont désormais intégrés dans un vaste marché ouvert et libre. La mondialisation des échanges est d'abord celle qui a lieu entre et au sein d'un petit nombre d'entreprises multinationales provenant des pays les plus industrialisés, et qui monopolisent la majeure partie des échanges internationaux. La grande majorité des pays pauvres sont laissés de côté, ou utilisés pour fournir leurs matières premières à des prix dérisoires, ou encore mis à contribution en fournissant une main-d'œuvre sous-payée et mal protégée. La mondialisation se révèle ainsi un outil idéologique pour masquer cette concentration de la richesse et pour en assurer la réussite. En fait, on devrait plutôt parler de la mondialisation du capital plutôt que de la mondialisation des marchés.

Car un phénomème nouveau a fait son apparition. Pendant les années de prospérité de l'après-guerre, des milliers de travailleurs et de travailleuses ont investi dans des fonds de pension ou des fonds mutuels, dans des obligations ou encore dans des actions à la Bourse. Tout ce capital a été graduellement pris en main par une classe de financiers qui a cherché activement les meilleurs rendements possibles. Il en est résulté une tendance de plus en plus lourde à privilégier l'augmentation de ce capital pour lui-même et pour le contentement des seuls actionnaires. Rapidement, ces entreprises financières ont pénétré dans les circuits des entreprises pour faire de bons placements. La rentabilité maximale et à court terme était leur objectif. Une fois qu'elles avaient pris le contrôle d'entreprises, elles cherchaient donc spontanément à diminuer les coûts et à augmenter les profits. Les responsables des entreprises, qui tenaient à conserver leurs postes, n'avaient d'autre choix que de diminuer les coûts de la main-d'œuvre par tous les moyens et de réaliser des fusions avec d'autres entreprises. D'où les tendances à la baisse des salaires et des emplois que nous connaissons.

Les États sont venus faciliter ces opérations en supprimant les contrôles et les lois qui balisaient le jeu des banques et des investissements. Certains avaient sans doute la naïveté de croire qu'ils attireraient ainsi les investisseurs. Quelques-uns redoutaient peut-être que les prêteurs leur coupent les vivres. D'autres étaient sûrement de mèche avec les élites financières. Peu importe. Le résultat est aujourd'hui sous nos yeux. Le capital accumulé continue de circuler dans le monde entier à une vitesse incroyable. Il n'a ni feu ni lieu. Il n'a pas comme objectif de produire de nouveaux produits et services, mais de grossir les profits et de satisfaire les millions d'actionnaires qui en redemandent. Ainsi a-t-on vu, dernièrement, aux État-Unis, les actions de AT & T monter en flèche quand le directeur de l'entreprise, Robert Allen, a annoncé la «bonne nouvelle» du licenciement de milliers d'employés, ce qui lui permettait, lui aussi, à titre de détenteur d'actions de la compagnie, de faire des gains substantiels!

C'est ici que je place la seconde raison de l'emprise sur nous de ce que l'on appelle la mondialisation du capital. Des milliers de citoyens et de citoyennes ont placé des épargnes dans des REER, des obligations et des fonds mutuels, ou encore les ont converties en actions boursières. Ils espèrent le meilleur rendement possible pour leur investissement. S'il faut investir en Chine plutôt qu'au Québec, allons-y! Si les financiers réclament leurs intérêts aux gouvernements et leur demandent de couper dans leurs dépenses pour ce faire, il faut les écouter! Peu d'entre nous voient clair dans ce grand jeu de Monopoly où il ne peut qu'y avoir de plus en plus de perdants. Combien cherchent seulement à savoir ce que l'on fait de leurs épargnes ou de leurs investissements? L'important est devenu l'accumulation maximale de profits. Rares sont ceux qui voient que l'on va un jour se servir de leur argent pour en arriver à les réduire au chômage. Ou encore que le nombre démesuré des perdants prépare des bombes beaucoup plus dangereuses que celles des extrémistes. Sommes-nous donc, comme le prédisait l'auteur du vieux livre, condamnés à n'avoir de repos ni le jour ni la nuit, et à adorer à contre-cœur la Bête et son image qui nous marquent sur le front?

Comment s'en sortir?

Inutile de souligner que notre situation est pénible. Complexe. L'espérance risque d'attraper la pneumonie et d'aller se cacher dans le cocon familial ou ailleurs. Il me semble, cependant, que les intuitions du vieux livre peuvent encore nous faire réfléchir. Au chapitre 18, l'auteur décrit avec une force d'évocation peu commune la chute éventuelle de cette grande cité orgueilleuse qu'était la Rome impériale. Il évoque tous les marchands qui pleurent la ruine de la ville et celle de leur commerce. Il anticipe la désolation qui frappera tout le monde. Or, quelle est la cause de cette chute entrevue? «Parce que tes marchands étaient les grands de la terre, parce que tes sortilèges ont séduit toutes les nations, et que chez toi on a trouvé le sang des prophètes, des saints et de tous ceux qui ont été immolés sur la terre!» En somme, la société ou la civilisation qui tue des innocents est menacée de mort. Elle porte en elle les contradictions qui la détruiront.

Je suis personnellement convaincu que nous ne pourrons continuer longtemps à subir la mondialisation du capital sans assister à une crise majeure de tout notre système économique et politique. Ce nouveau pouvoir financier, en effet, menace l'économie des échanges, freine la production des biens, tarit le pouvoir d'achat des gens, démolit les instances démocratiques, fracture en profondeur la société et exclut de plus en plus de personnes. Si nous voulons éviter d'être entraînés dans la crise qui éclatera tôt ou tard, il nous faut retrouver ce lien social fondamental avec nos frères et nos soeurs qui sont actuellement sacrifiés. Refuser que notre système économique et financier écrase des innocents. Refuser d'être menés par la fatalité ou le laisser-faire. Refuser d'être colonisés de l'intérieur par cette recherche rapide du plus grand profit possible. Prendre le risque, au contraire, d'investir dans un fonds de capital de risque pour relancer l'économie et promouvoir des emplois. S'informer sur les politiques d'investissement de nos fonds et exiger des comptes aux responsables. S'interroger sur le bien-fondé de notre temps supplémentaire et libérer ainsi de l'espace pour des jeunes en quête d'emploi. Se regrouper avec ceux et celles qui poussent pour une réforme majeure de la fiscalité. Commencer à réagir au niveau des assemblées générales de nos Caisses populaires et exiger que le trop-perçu annuel puisse profiter aux organismes du quartier qui s'occupent des exclus de notre société. Sans compter les pressions sur nos dirigeants, à tous les niveaux, pour encadrer ce nouveau pouvoir financier qui n'a de compte à rendre à personne.

Le temps n'est-il pas arrivé où il ne suffit plus de déplorer ou de critiquer les malheurs de ce temps? Le temps des choix de fond est là et l'espérance a grand besoin de sages-femmes.

1789, Citoyens et Citoyennes

Monique Dumais

Université du Québec à Rimouski

La réclamation des droits constitue une étape essentielle dans l'affirmation de la citoyenneté. La Révolution française marque un seuil important qui a été franchi par les hommes et les femmes pour acquérir le statut de citoyens et citoyennes. En font témoignage deux textes particuliers: le premier rédigé par des hommes, le second par des femmes, qui ne se considéraient pas incluses dans le premier. Ces deux Déclarations manifestent clairement la volonté des individus de devenir des sujets dans l'histoire et d'assumer leurs responsabilités individuelles et collectives.

Déclaration des droits de l'homme et du citoyen, décrétée par l'Assemblée nationale, 20-26 août 1789

Les représentants du peuple français, constitués en Assemblée nationale, considérant que l'ignorance, l'oubli ou le mépris des droits de l'homme sont les seules causes des malheurs publics et de la corruption des gouvernements, ont résolu d'exposer, dans une déclaration solennelle, les droits naturels, inaliénables, et sacrés de l'homme. [...]

Art. 2 Le but de toute association politique est la conservation des droits naturels et imprescriptibles de l'homme; ces droits sont la liberté, la propriété, la sûreté et la résistance à l'oppression. [...]

Déclaration des droits de la femme et de la citoyenne, présentée à l'Assemblée nationale par Olympe de Gouges, septembre 1791

Les mères, les filles, les sœurs, représentantes de la nation, demandent d'être constituées en assemblée nationale. Considérant que l'ignorance, l'oubli ou le mépris des droits de la femme sont les seules causes des malheurs publics et de la corruption des gouvernements, elles ont résolu d'exposer dans une déclaration solennelle, les droits naturels, inaliénables et sacrés de la femme [...]

Art. 2 Le but de toute association politique est la conservation des droits naturels et imprescriptibles de la Femme et de l'Homme: ces droits sont la liberté, la propriété, la sûreté, et surtout la résistance à l'oppression. [...]

Ces deux Déclarations du temps de la Révolution française démontrent la nécessité d'acquérir des droits fondamentaux qui déterminent l'émancipation juridique de l'individu par rapport à la puissance de l'État et au pouvoir arbitraire. Ces droits fondamentaux reposent sur l'inviolabilité de la dignité humaine et du droit à la vie. Chaque droit fondamental doit être appliqué de telle sorte que ne soient lésées la dignité, la liberté et la vie ni de soi-même ni de l'autre.

Sur le plan historique, notons que la Déclaration de l'indépendance américaine, en 1776, a précédé les Déclarations de 1789 et 1791. La Charte de la Déclaration universelle des Droits de l'homme, votée le 10 décembre 1948, par l'Assemblée générale des Nations unies a sanctionné les différentes démarches qui avaient été entreprises explicitement depuis deux siècles pour assurer les capacités sociales et démocratiques de chaque individu dans son propre État.

Contribuer à la vie socio-politique de sa société

Par la réclamation de ses droits, chaque personne exprime sa volonté d'apporter une contribution à la vie socio-politique de sa société. Elle manifeste un pouvoir d'affirmation et de revendication qui la constitue comme citoyen, citoyenne d'une nation. C'est ainsi qu'émerge pour chaque individu une nouvelle conscience de ses droits et devoirs. Le politique devient un lieu d'expression des aspirations les plus profondes et de réalisations collectives pour le mieux-être de chacun, chacune aux plans national et international. Les jeux d'intérêts et de pouvoir doivent être dénoncés et dépassés pour que chaque citoyen, chaque citoyenne soit dans la possibilité de faire entendre sa voix et d'exercer ses droits.

Affirmer sa responsabilité et sa solidarité

Il ne suffit pas de proclamer des droits, de les acquérir; il faut constamment veiller à leur application et à leur défense afin qu'ils deviennent une réalité concrète et quotidienne. Le droit au travail, à un niveau de vie décent, à l'équité salariale, continuent de soulever beaucoup de difficultés. Les citoyennes et citoyens du Canada et du Québec vivent beaucoup de soubresauts concernant leurs droits dans le domaine économique, ce qui les oblige à manifester leur responsabilité, à montrer leur solidarité dans des affirmations, des revendications et des concertations. Abolition du chômage, recherche d'équité salariale, répartition des ressources matérielles et lutte contre la pauvreté sont autant de défis qui sollicitent un engagement solidaire et une vigilance constante pour défendre des droits décisifs pour la dignité humaine.

Compter
sur ses propres moyens

Louis O'Neill
Faculté de théologie, Université Laval

Compter sur ses propres moyens: voilà un slogan qui fut bien à la mode au Québec, au cours des années 1960, particulièrement chez les militants syndicaux. Mais ce fut, bien avant, une *pratique collective* qui explique en bonne partie le niveau de développement de la société québécoise.

Il n'existe pas de fatalité historique. Au lendemain de la Conquête de 1760, la Nouvelle-France semblait vouée à disparaître comme société distincte ou à sombrer dans la dépendance, la pauvreté et le sous-développement.

L'instinct de survie, un vouloir-vivre collectif parfois mal exprimé en ont décidé autrement. Comme quoi, pour un peuple, le salut s'enracine dans son âme.

Les facteurs de libération et de développement qui ont influé sur l'évolution du Québec ont germé à l'intérieur de la vie collective, à partir de la foi chrétienne agissant comme ferment social. Une foi rude, marquée par l'esprit de la Contre-Réforme, encline à rivaliser avec le puritanisme protestant et se singularisant par sa capacité d'engagement à ras de terre, en lien étroit avec la vie quotidienne.

La foi, la volonté de survivre, l'obligation de faire face aux défis de l'entourage et aux contraintes de la nature ont suscité des initiatives nombreuses et diverses ouvrant la voie à un auto-développement, ou à ce que les experts appellent le *développement endogène*.

Le peuple québécois s'est forgé lui-même. Une société de petites gens, des hommes et des femmes à peu près sans ressources financières, mais remplis de fierté et sans peur devant l'effort et le travail, ont conquis le sol, occupé le territoire, défriché, exploité les forêts, créant ainsi peu à peu leur propre capital. L'histoire du peuple québécois illustre le propos de Jean-Paul II quand il affirme que c'est le travail qui est à la source du capital et qui a donc primauté sur lui.

On a aussi créé des institutions bien à soi: des écoles, des hôpitaux, des services de santé, des caisses populaires, des coopératives, des cégeps, des universités, des usines, des réseaux commerciaux, des industries culturelles, etc.

À l'origine de plusieurs réalisations historiques, on trouve des religieux, des religieuses, des prêtres, des évêques. Un nombre élevé de femmes. Marguerite d'Youville, Marguerite Bourgeoys, des milliers d'enseignantes et d'infirmières anonymes, des milliers d'Émilie et de Blanche. Chez nous, l'aristocratie du cœur et de l'âme logeait tout près du sol, dans des demeures humbles. Ce furent nos vrais châteaux.

À noter l'importance particulière du mouvement syndical dans la vie québécoise. Il était normal qu'un peuple de travailleurs et de travailleuses soumis à des décisions et à des stratégies économiques imposées d'ailleurs découvre dans la solidarité syndicale un outil essentiel de résistance, de libération et de progrès.

Les Québécois ont aussi profité des avantages concédés par le Conquérant dans le domaine politique. Ils y ont expérimenté un cheminement laborieux où n'ont pas manqué les erreurs de parcours. L'œuvre demeure inachevée. Mais, là encore, on peut malgré tout parler d'une étonnante réussite historique.

De nouveaux défis pointent à l'horizon. La leçon de l'Histoire, c'est que les solutions efficaces viennent de l'intérieur, tant au plan politique qu'économique, culturel et social. L'avenir pose une question de confiance en soi et met de l'avant le devoir de responsabilité, de prise en charge; ce qu'on pourrait appeler l'exercice d'une pratique efficace de la prudence politique.

3

Démystifier
la force de l'argent

De la Bourse et du tricot

Raymond Munger

Collège de Sherbrooke

Il existe un mystère (entre beaucoup d'autres) devant lequel je me sens constamment dépassé, au point que j'ai toujours abdiqué devant l'effort de le percer et de le maîtriser. Ce mystère, je vous le donne en mille, c'est le tricot. Il y a des années que je vois ma mère tricoter et pourtant, je suis toujours dans le même état de fascination et d'étonnement quand j'observe sa dextérité, sa vitesse, son adresse. Il me semble que les personnes étrangères aux activités financières doivent se retrouver dans ce même état d'esprit. Mais voilà. Ma mère, elle, en autant que je me souvienne, ne s'est jamais servie de sa science pour nous faire un chantage à la laine!

Depuis le début des années 1980, l'information financière a envahi nos médias. Changement d'époque, changement de valeurs. Mais devant cet amas d'informations, on peut vite se sentir dépassé, impuissant et aussi manipulé. Et pourtant...

La grande question qu'il faut se poser est la suivante: faut-il craindre le pouvoir de la Bourse et des établissements financiers en général, et la place de plus en plus importante qu'ils prennent dans nos sociétés? Une réponse simple à cette question serait de cet ordre: ni plus ni moins que les grille-pain et les entreprises qui les vendent! En effet, les titres boursiers et les services financiers sont des produits et services faisant l'objet d'un marché au même titre que les grille-pain. Or la théorie économique a élaboré les grandes lignes du fonctionnement des marchés: en déterminant à quelles conditions ces marchés sont optimaux pour la société ou le sont moins. Contrairement au préjugé populaire qui prétend que pour deux économistes il y a trois opinions, ces grandes lignes n'ont que très peu changé depuis deux siècles, c'est-à-dire depuis les débuts du capitalisme... Il importe donc de se référer en premier lieu à ce consensus de base, quel que soit l'aspect économique étudié. Ensuite, on pourra toujours débattre des aspects plus pointus sur lesquels il n'y a pas unanimité, mais qui sont en définitive de moindre importance.

Le consensus économique de base

Tout compte fait, Adam Smith, ce grand économiste libéral du XVIIIᵉ siècle, ne disait pas autre chose que John Keynes deux siècles plus tard: une économie de marché est optimale en termes d'utilisation et de répartition des ressources si, et seulement si, les marchés sont parfaitement concurrentiels. Ces économistes ont défini ce qu'ils entendaient par des marchés parfaitement concurrentiels: un très grand nombre d'acheteurs et de vendeurs, une information parfaitement disponible à tous les participants, une libre entrée et sortie des concurrents. Ces conditions doivent être réunies pour favoriser la croissance économique et une répartition équitable des richesses, ainsi qu'une égalité des chances pour tous. Autrement, l'État devra intervenir pour fixer des conditions qui visent l'efficacité et l'équité économique sous différentes formes.

Les gens d'affaires (ils ne sont pas les seuls) ont raison lorsqu'ils disent qu'une économie de marché libre favorise le plus grand bien-être d'une société; ils ne font qu'oublier (oups!) que la théorie et les faits nous disent que ces mêmes marchés doivent être libres et *parfaitement concurrentiels* pour générer leurs bienfaits. Il se trouve que leur oubli favorise les inégalités, les iniquités et même la destruction économique. On peut comprendre les gagnants d'adhérer sans condition à ce discours du libéralisme, car ils auront les moyens de s'épargner les revers de leur doctrine. Mais on comprend moins bien que les perdants partagent cette idéologie, si ce n'est par une certaine aliénation dont les origines et les causes sont multiples.

Vous pensez certainement que, la plupart du temps, la réalité ne correspond pas aux conditions prescrites d'un marché parfaitement concurrentiel. J'aurais plutôt tendance à le croire aussi et, jusqu'à tout récemment, nous étions une majorité à penser de la même façon. Jusqu'à ce que la bourrasque nous inonde de valeurs consuméristes et individualistes, et que les tribunes soient envahies par des sophismes que répudie la science économique. Nous sommes débordés par la quantité qui nous empêche d'en évaluer la qualité. Et pendant ce temps-là, le train passe...

Et la Bourse dans tout cela? Selon ce que nous avons dit auparavant, c'est un marché comme les autres, où se transigent des biens particuliers, et qui doit subir l'encadrement de l'État pour en assurer l'équité, la transparence, les normes de qualité minimales, etc. Comme pour les grille-pain! En voyant plus précisément comment fonctionne la Bourse et ce qu'on y fait, on pourra plus facilement juger de ses bienfaits et de ses errances quand elle est laissée à elle-même, comme on le fait de plus en plus ces dernières années.

La Bourse et son fonctionnement

Les marchés boursiers jouent un rôle essentiel dans l'émission des titres des entreprises et des gouvernements, même s'ils ne sont que le marché secondaire de ces titres. Comment fonctionnent les marchés boursiers?

Supposons qu'une entreprise désire financer un projet d'investissement. Elle pourrait se rendre à la banque, bien sûr. Mais elle pourrait aussi passer par les courtiers en valeurs mobilières et le marché boursier auquel ils sont rattachés, en effectuant une émission d'actions ou d'obligations. Cette entreprise pourra faire affaire avec un seul courtier ou avec un syndicat de courtiers, si la valeur de l'émission est importante. Un syndicat de courtiers constitue un regroupement de courtiers qui se réunissent pour écouler une nouvelle émission d'actions et d'obligations.

Le courtier ou le syndicat de courtiers peut tenir deux rôles différents lors d'une nouvelle émission:

— Il peut jouer un simple rôle d'*intermédiaire* entre les acheteurs et les entreprises émettrices; dans ce cas, c'est l'entreprise qui fait l'émission qui assume le risque dans le cas où l'émission n'est pas toute vendue;

— Il peut jouer le rôle de *preneur ferme* en achetant toute l'émission; dans ce cas, le courtier ou le syndicat de courtiers prend l'entière responsabilité de la vente des titres et des invendus.

Les courtiers et les autres établissements financiers gardent une partie de leurs avoirs en actions et en obligations qu'ils transigent entre eux; c'est le *marché hors cote*. Les titres qui ne sont pas gardés sont vendus à des investisseurs. La première vente des actions et des obligations au public constitue ce qu'on appelle le *marché primaire*. Pour faciliter la vente de ces titres au public investisseur, il faut s'assurer qu'il y ait un *marché secondaire* des actions et des obligations; la Bourse joue ce rôle. Elle facilite l'achat et la vente des titres et permet à quelqu'un qui aurait placé une bonne partie de ses épargnes en actions et en obligations de récupérer relativement rapidement son argent quand le besoin s'en fait sentir.

Après avoir payé une commission au courtier ou au syndicat de courtiers, l'entreprise récolte le fruit de la vente de ses obligations lors de leur vente sur le marché primaire. Lorsque le premier acheteur veut se départir de ses obligations, il ne retourne pas ses titres à l'entreprise, mais tente de les vendre à un tiers sur le marché secondaire, le marché boursier.

Pour l'entreprise qui fait l'émission d'*actions* ou d'*obligations* (les premières sont un titre de propriété avec droit de vote qui confère un dividende quand l'entreprise va bien, alors que les deuxièmes sont un simple titre de créance portant un intérêt fixe et à prix variable) cela représente une source de financement avantageuse par rapport à un emprunt à la banque, par exemple. Contrairement à un emprunt bancaire, l'entreprise n'a pas à rembourser le capital d'un financement fait sous la forme d'actions ou d'obligations. Toutefois, comme pour un emprunt bancaire, elle doit verser un intérêt au porteur de l'obligation émise en son nom. Pour les actions, l'entreprise a davantage de flexibilité. En cas de difficultés financières, elle peut reporter à plus tard le paiement d'un dividende à ses actionnaires. Cependant, une entreprise ne pourrait pas toujours éviter de payer un dividende, car elle risquerait de voir la valeur de son action diminuer sur le marché secondaire (la Bourse); elle serait donc pénalisée lors d'une nouvelle émission. Son financement global, et donc son développement, risqueraient d'en souffrir.

Comme on peut le constater dans cette description simplifiée, la Bourse et ses agents économiques associés jouent un rôle important dans le marché de l'épargne, pour favoriser le développement des entreprises, et donc le développement économique général. Dans ce marché, l'information juste et équitable est essentielle sans quoi les manipulations sont faciles et ont de fortes conséquences. Au Québec, la *Commission des valeurs mobilières* a établi des règles de base et de contrôle de ce marché; mais elles ne sont pas toujours faciles à appliquer.

De la structure au laisser-faire

Dans le vent de libéralisme qui souffle à l'échelle internationale, le Canada a entrepris de libéraliser son secteur financier dans les années 1980. L'idée de la division des services financiers en quatre secteurs étanches pour éviter les remous et les conflits d'intérêt a été abandonnée pour laisser libre cours au décloisonnement et à la déréglementation: dorénavant, une même entreprise pourra offrir des services bancaires, des services d'assurance, des services de courtier en valeurs mobilières et des services de fiducie. Les modifications de 1980 et de 1984 de la Loi des banques y sont pour beaucoup. L'objectif poursuivi par le législateur est de rendre nos établissements plus compétitifs, tant au Canada qu'à l'étranger.

La situation canadienne n'est pas particulière, de même que ce vent de libéralisation tous azimuts n'est pas limité à la sphère financière; tous les secteurs des économies des pays occidentaux sont soumis à la courte logique de la supériorité du marché libre, en contradiction flagrante avec tous les manuels de base en économie. Dans le climat général malsain créé par cette orientation, les esprits sont confondus dans leur sens commun, inondés qu'ils sont de la propagande d'apparence logique de la classe dominante. Avec le

La Bourse de Montréal

Elle a été fondée en 1874. En 1883, la Bourse s'installa dans l'immeuble de la bourse des marchandises, sur la rue du Saint-Sacrement. Quelque 20 ans plus tard, elle emménage sur la rue Saint-François-Xavier. En 1965, elle déménage à la Tour de la Bourse.

La Bourse de Montréal est un organisme sans but lucratif qui appartient à ses membres. Elle est dirigée par un conseil des gouverneurs qui a tous les pouvoirs quant à la gestion des affaires de la Bourse, à la surveillance et à la réglementation.

Huitième bourse en importance au monde quant à la capitalisation boursière, la Bourse de Montréal concentre ses activités sur le marché des actions ainsi que sur les produits de gestion de risque. Deuxième bourse au Canada pour le marché des actions, elle occupe la première place pour les produits de gestion de risque. (Source: *Sommets*, printemps 1992, p. 9)

résultat que les économistes deviennent responsables des problèmes de l'économie, les programmes publics en relative décroissance sont blâmés pour le fardeau de la dette, la pauvreté augmente alors même qu'il y a croissance économique générale, les chômeurs sont considérés comme responsables du chômage, les millionnaires sont vus comme des héros et les pauvres des parias, des remèdes sont appliqués sans que des effets bénéfiques se fassent sentir, et on augmente encore la dose. L'intolérance devient la norme sans qu'on ne s'y oppose; la société démissionne devant la démolition de ses institutions; les forces d'opposition encore vives ne peuvent que soigner les plaies et travailler à leur survie plutôt que de s'attaquer à l'ogre, etc.

Ce qui se passe, c'est que nous soumettons nos sociétés aux grands casinos financiers, pendant que nous pensons que les ressources ne sont plus disponibles. Ce n'est plus un problème économique, mais un problème culturel, idéologique, éthique. La spéculation financière nationale et internationale draine les ressources qui, autrefois, étaient allouées aux investissements productifs et qui servaient à nourrir, à loger, à soigner, à éduquer, à protéger. Ce n'est pas la science économique qui veut cela, c'est que nous avons renoncé à mettre l'économie au service de la collectivité.

Faut-il avoir peur de la Bourse? Non! Les grands principes de la Bourse et des finances sont simples, comme ceux des lave-vaisselle; ce n'est pas parce qu'il y a une multiplication des marques et des fonctions que ces machines sont plus difficiles à comprendre. Les grands principes de l'économie, et donc de la Bourse, sont du même ordre. L'économie doit être au service des citoyens. Pour que ce soit le cas et qu'elle fournisse ses fruits, il faut encadrer ses activités par des institutions de contrôle adéquates et efficaces, et des règles claires. À moins qu'on ne fasse le choix de vivre dans une jungle, ce que signifie le choix du libéralisme, il faut refuser les valeurs et les discours qui nous imposent une société basée sur la domination, l'humiliation et la charité aléatoire des puissants.

La Bourse ou la vie:
quelques définitions pour s'y retrouver

La Bourse. C'est le marché secondaire d'échange des titres financiers des entreprises que sont les actions, les obligations, les options, des contrats sur les métaux et les denrées, etc. La Bourse existe en Europe depuis le XIIIᵉ siècle. En Amérique du Nord, les premières transactions d'actions de sociétés remontent au XVIIIᵉ siècle. Ce premier marché se trouvant sur Wall Street à New York, on y échangeait des actions de sociétés, mais aussi le blé, le tabac et... les esclaves. Au Canada, la Bourse de Montréal est la plus ancienne et date du début du XIXᵉ siècle. Maintenant, c'est la Bourse de Toronto qui est la plus importante au pays, et une des plus importantes au monde par le volume des transactions.

Ses fonctions. La Bourse permet de réduire le risque que présente, pour un particulier, le fait d'acheter des actions ou des obligations et elle détermine le prix courant de ces titres, influençant par le fait même la gestion et le financement d'une entreprise; ces deux fonctions sont essentielles à la finalité première qui est de *financer le développement de l'entreprise.*

Action ordinaire. Document qui confère au porteur une *part de la propriété* d'une entreprise.

Dividende. Part des bénéfices annuels qu'une entreprise verse à ses actionnaires, proportionnellement au nombre d'actions qu'ils détiennent.

Obligation. Titre établissant une *créance*. L'émetteur s'engage à payer au porteur un intérêt fixe à dates pré-déterminées et à rembourser l'obligation à terme contre son retour.

Spéculation. Investissement volontaire dans des titres présentant un risque, dans l'espoir d'enregistrer un profit important à la faveur des variations du prix de ces titres.

Produits dérivés. L'ensemble des instruments financiers permettant de se couvrir contre une variation adverse ou de tirer profit d'une variation anticipée des cours d'actifs dits «sous-jacents» telles que les actions, les matières premières et les devises.

Courtier en valeur mobilière. Personne ou maison de courtage qui sert d'intermédiaire entre les acheteurs et les vendeurs de valeurs mobilières.

Les dessous
de la dette publique

Yves Groleau

Collège de Sherbrooke

À la suite du Sommet socio-économique de mars 1996, un net consensus s'est dégagé autour de l'abolition du déficit dans quatre ans. Devant les choix qui vont lui être offerts par les différents intervenants sociaux, gens d'affaires, syndicats, groupes communautaires, pour régler le problème budgétaire, le gouvernement Bouchard a promis de choisir les mesures les plus équitables et de mettre à contribution l'ensemble de la société, et non seulement une partie de celle-ci. Mais pour bien saisir l'enjeu qui se dessine au niveau des finances publiques, encore faut-il comprendre les différents concepts reliés à la dette et au déficit. Lorsque nous parlons de dette publique et de déficit, de quoi s'agit-il au juste? Ce texte, je le souhaite, vous aidera à mieux vous y retrouver.

Qu'est-ce que la dette et le déficit?

Une dette publique est tout simplement le résultat des déficits budgétaires accumulés dans le passé par un gouvernement. Ces déficits budgétaires sont causés par le surplus des dépenses sur les revenus. Prenons, par exemple, l'exercice financier 1993-94 du gouvernement fédéral. À cette époque, l'État a des dépenses de programmes de 120 milliards $, un service de la dette[1] de 38 milliards $ et des recettes fiscales de 116 milliards $, produisant ainsi un déficit de 42 milliards. Le gouvernement a dû financer ce dernier en émettant pour 42 milliards $ de nouvelles obligations, faisant passer la dette à plus de 500 milliards. Pour l'ensemble du secteur public, c'est-à-dire tous les paliers de gouvernement, la dette totale s'élevait à 800 milliards $.

Mais un tel ordre de grandeur ne signifie pas grand-chose pour la plupart des gens. De plus, pour vraiment apprécier l'importance ou le fardeau que représente la dette pour la société, il vaut mieux la mesurer par rapport aux revenus versés dans l'économie, qu'on estime par la valeur du produit intérieur brut (PIB). Dans ces termes, la dette de l'ensemble du secteur public au Canada, pour 1994, représentait 60% du PIB ou encore 60% de notre revenu collectif.

Si nous considérons l'évolution du fardeau de la dette du secteur public sur une longue période, nous remarquons d'abord qu'il n'a cessé d'augmenter depuis le milieu des années 1970. De 10% du PIB

---

1. Montant annuel consacré au paiement des intérêts sur la dette et du capital arrivé à échéance.

environ qu'il était en 1974, il est passé à 45% du PIB en 1988 pour atteindre, comme mentionné ci-haut, 60% du PIB en 1994. Mais ce n'est pas un phénomène nouveau; au cours du dernier siècle, la dette a déjà représenté plus de 100% du PIB, en 1946 par exemple. Par ailleurs, en 1926, il atteignait 39% du PIB.

Pourquoi la dette publique a-t-elle augmenté à partir de 1975?

Pour que le fardeau de la dette en pourcentage du PIB augmente, il faut nécessairement que la croissance du déficit soit plus grande que celle du PIB. Dans ces conditions, seulement trois facteurs peuvent expliquer l'augmentation des déficits budgétaires: soit que les dépenses de programmes augmentent plus rapidement que les recettes, soit que les intérêts à payer au service de la dette ont augmenté, ou encore que les recettes fiscales stagnent ou diminuent. Or ces trois événements se sont produits au cours des 20 dernières années.

La hausse des dépenses

Après la Deuxième Guerre mondiale, le Canada implanta différentes mesures sociales comme l'assurance-santé, l'éducation gratuite et la sécurité du revenu, améliorant ainsi le bien-être de tous les Canadiens. Toutefois, le recours à ces mesures, surtout pendant les récessions, et la hausse du nombre d'exclus du marché du travail ont contribué à la croissance des déficits. En effet, en période de récession, le ralentissement de l'activité économique provoque une baisse de l'emploi. Les personnes frappées par la perte d'un travail n'ont d'autre choix que d'utiliser l'assurance-chômage. Si cette situation perdure, elles doivent recourir à l'aide sociale. De plus, le contexte morose des récessions a une incidence directe sur la santé des gens, provoquant la hausse des coûts de la santé. On peut également ajouter ici l'exclusion sociale. Ce phénomène vient essentiellement des reprises économiques faibles en création d'emplois qui ne permettent pas l'intégration de toute la population active[2] au marché du travail, si bien qu'une part de plus en plus grande de celle-ci se trouve sans emploi, ou dans des emplois précaires, ou même obligée de travailler au noir pour survivre. Cela touche particulièrement les jeunes et les femmes. Cette exclusion est également source de tension sociale, de délinquance, de violence, de criminalité, bref de destruction du tissu social. Si rien n'est fait pour endiguer ce phénomène, c'est notre démocratie qui sera menacée. Par conséquent, la hausse du déficit n'est pas seulement un problème relié à la hausse des dépenses, mais surtout un problème de rareté des emplois limitant par le fait même les entrées fiscales.

Explosion du taux d'intérêt réel

À partir de la fin des années 1970, les taux d'intérêt réels[3] n'ont jamais été aussi élevés. On remarque aussi que l'écart entre le taux d'intérêt annoncé sur les bons

---

2. Les personnes sans travail cherchant activement un emploi.
3. Taux d'intérêt annoncés moins le taux d'inflation.

du trésor et le taux d'inflation augmente à partir de la fin des années 1970. Cet écart représente le taux d'intérêt réel que le gouvernement doit payer pour financer sa dette. Alors, on peut imaginer facilement l'effet de cette hausse sur le service de la dette durant les années 1980 et 1990 et, conséquemment, sur la croissance des déficits.

Pourquoi des taux d'intérêt si élevés depuis vingt ans? D'abord pour juguler l'inflation consécutive à la crise pétrolière. Dans les années 1970, le prix du pétrole a été multiplié par six; vu l'importance de ce produit dans l'activité économique au niveau du transport, du chauffage, des centrales thermiques et des différents produits dérivés du pétrole, on comprend l'impact majeur que cette hausse a eu sur le taux d'inflation. Au Canada, cela s'est soldé par une poussée d'inflation au-dessus de 10% ce qui, par conséquent, a fait augmenter subitement les taux d'intérêt. Mais cette inflation n'explique en rien l'accroissement du taux d'intérêt réel. La cause véritable se trouve plutôt dans la politique monétaire très restrictive adoptée par la Banque du Canada à la fin des années 1970. Cette politique monétaire consiste à hausser substantiellement le taux d'intérêt réel, dans le but de ramener le taux d'inflation le plus près de zéro. En effet, la hausse des taux d'intérêt freine la consommation, dont l'augmentation trop rapide pourrait dégénérer en inflation. Mais cette politique a pour revers une aggravation importante du chômage et de l'exclusion sociale, augmentant d'autant les coûts sociaux et donc les déficits. Pourtant, à cette époque, les apôtres de la politique monétaire restrictive affirmaient qu'une fois l'inflation maîtrisée, le climat de confiance dans l'économie se rétablirait, permettant ainsi une croissance économique soutenue et des emplois stables. Mais qu'a-t-on obtenu, une fois l'inflation maîtrisée? Une croissance certes, mais peu de création d'emplois et, par surcroît, une création d'emplois à temps partiel, précaires et mal rémunérés. Encore aujourd'hui, malgré un taux d'inflation qui oscille entre 1% et 2,5%, non seulement la croissance de l'économie se fait attendre, mais les taux d'intérêt réels restent toujours très élevés.

On peut ajouter à notre analyse que l'afflux important des pétrodollars vers les banques occidentales a contribué aussi à la montée des taux d'intérêt réels. En effet, ces pétrodollars ont incité les banques occidentales à prêter aux pays du tiers monde au-delà de leur capacité financière. Quand les banques ont pris conscience que ces pays ne pourraient que difficilement rembourser tous leurs emprunts, elles ont haussé leurs réserves pour mauvaises créances, majorant ainsi à la hausse les taux d'intérêt.

Devant ces taux d'intérêt usuraires, une question se pose: à quand une politique concertée du G-7 pour réduire les taux d'intérêt réels? Si les grands pays ont pu s'entendre entre eux, par exemple dans la guerre du Golfe ou dans la limitation des armes nucléaires, pourquoi seraient-ils incapables de s'entendre sur une baisse concertée et commune des taux d'intérêt réels? On en vient à se demander quels intérêts défendent les banques centrales des pays du G-7, ceux de leurs collègues banquiers ou ceux de la population à laquelle elles sont redevables.

Pourtant, même devant les résultats peu enviables de la politique monétaire restrictive, les apôtres de celle-ci, loin d'être abattus, reviennent à la charge pour nous expliquer que la cause de tous les maux économiques est reliée à la dette publique et aux déficits. Paradoxalement, c'est justement leurs politiques monétaires restrictives qui sont en grande partie responsables de ceux-ci.

Baisse des recettes fiscales

Enfin, depuis 1975, le gouvernement fédéral a vu ses recettes fiscales diminuer. Deux raisons expliquent cette baisse. Premièrement, le gouvernement a réduit son assiette fiscale — c'est-à-dire le revenu total qu'il peut imposer — et ce, par la création d'échappatoires fiscales. Deuxièmement, les récessions, par les pertes d'emplois et le ralentissement de l'activité économique qu'elles ont provoqués, ont contribué à la baisse des recettes de l'État.

Comment définir les échappatoires fiscales? À qui et à quoi servent-elles? Les échappatoires fiscales sont des moyens permis par la loi de l'impôt pour réduire le niveau de revenu imposable et donc d'impôt à payer. Les crédits d'impôt pour enfants, pour la recherche et le développement, les frais encourus pour gagner un revenu, les dépenses de représentation, les reports d'impôt à payer, l'amortissement accéléré des équipements, les exemptions pour gain de capital, la création de fondations, les REÉR et les RÉA, etc., sont tous des exemples de moyens pour éviter l'impôt. S'ajoutent à cela toutes les trouvailles des fiscalistes et comptables qui permettent aux mieux nantis et aux entreprises de contourner l'impôt. On peut imaginer le tollé qui s'élèverait si un groupe de brillants activistes se consacrait à mettre au point des procédés complexes pour permettre aux pauvres d'exploiter les lacunes du système d'aide sociale! C'est pourtant ce que font les professionnels de la fiscalité, sans gêne et avec l'approbation de nos gouvernements. D'ailleurs, l'ancien ministre du Revenu, Yves Séguin, dénonçait, dans le magazine *Affaires plus* du mois de novembre 1995, la profession des comptables pour les articles publiés dans leur magazine officiel suggérant «l'évitement fiscal» en ces termes:

> La publication d'un tel article dans le magazine officiel de la profession des comptables a de quoi choquer. Est-ce à dire que «l'évitement fiscal» — c'est l'expression utilisée par les auteurs — serait tout à fait normal et même souhaitable?

Et plus loin dans son texte, il estimait que de telles pratiques allaient contre les lois:

> Si de savantes interprétations permettent à certains de conclure que cela n'est pas illégal, la plupart des contribuables crieront au scandale. Parlons-nous franchement. Il est vrai que le contribuable a le droit d'organiser ses affaires le plus judicieusement possible afin de payer le moins d'impôt possible, tous les contribuables le souhaitent. Mais encore faut-il que les lois soient respectées.

Mais ce qu'il est important de comprendre à propos des abris fiscaux, c'est qu'ils constituent pour le gouvernement une véritable dépense au même titre qu'une subvention. S'il n'y a pas de différence dans les faits, il y en a une et elle est cruciale au niveau politique. Illustrons cette différence par l'exemple utilisé par Linda McQuaid:

> En 1985, les Reichmann sont parvenus à convaincre Ottawa qu'ils avaient droit à un abattement fiscal de 500 millions de dollars pour leur faciliter la prise de contrôle de Gulf Canada. Cette concession fiscale, quand elle est devenue publique, a causé quelques remous mineurs au Parlement. Mais imaginez ce qui se serait passé si les Reichmann étaient venus chercher à Ottawa une subvention de 500 millions de dollars pour les aider à prendre le contrôle de Gulf. Imaginez ce qui se serait passé si le ministre des Finances avait eu à se lever en Chambre et à expliquer que c'était dans l'intérêt national que le gouvernement puise dans le Trésor fédéral et en sorte un demi-milliard de dollars pour le donner à l'une des plus riches familles du pays, une famille dont les avoirs se chiffrent à 6,2 milliards de dollars[4].

On constate facilement l'énorme différence politique. Mais les plus riches et les entreprises ont déjà leurs arguments pour soutenir la continuité de ces

---

4. *La part du lion. Comment les riches ont réussi à prendre le contrôle du système fiscal canadien*, Montréal, Éditions du Roseau, 1987, p. 45.

faveurs fiscales. Ainsi, l'allégement du fardeau fiscal des riches et des entreprises favoriserait l'investissement privé et créerait des emplois. Pourtant, la majorité des économistes rejettent cette idée. Des recherches menées par des universitaires sont arrivées à la conclusion que pour chaque dollar accordé en abris fiscaux, entre 0,14$ et 0,35$ d'investissements nouveaux sont créés. Dans ces conditions, le gouvernement devrait abolir les abris fiscaux et investir lui-même 0,50$ ou 0,70$ pour chaque dollar épargné, le résultat n'en serait que meilleur.

Comme on a pu l'observer, la croissance des dépenses publiques n'est pas du tout la seule cause de l'endettement. Les hauts taux d'intérêts et les échappatoires fiscales y ont très largement contribué aussi. D'ailleurs, pour plusieurs économistes, ils sont davantage responsables de la croissance des déficits que les dépenses de programmes.

L'année 1975 constitue le point tournant des déficits budgétaires pour le gouvernement fédéral. À partir de ce moment, les recettes fiscales en pourcentage du PIB de l'État fédéral baissent en raison, entre autres, des échappatoires fiscales. Durant la même période, on peut voir que les dépenses totales en pourcentage du PIB restent passablement stables. En 1982, les dépenses totales augmentent de façon dramatique. Cette hausse des dépenses est due à la récession de 1982 et à la hausse des taux d'intérêts. De plus, à partir de 1986, les dépenses de programmes sont inférieures aux recettes fiscales, créant ainsi un surplus. Toutefois, ce surplus est insuffisant pour payer les intérêts sur la dette.

Alors pourquoi tant d'insistance sur les dépenses publiques et si peu sur les autres variables de l'équation du déficit? Faut-il s'en étonner, quand on sait que les groupes de pression qui défendent le droit des pauvres ont des ressources représentant à peine 1% de celles du monde des affaires? Quand la presse écrite, qui appartient essentiellement à de riches investisseurs, se montre en général beaucoup plus sympathique aux préoccupations des milieux d'affaires? Soyons vigilants et rappelons au gouvernement Bouchard sa promesse de mettre tout le monde à contribution...

Une fin de siècle fiscale

Patrice Martin[1]

On dit des fins de siècle qu'elles ont la particularité
d'être turbulentes. Notre fin de siècle fiscale, quant à
elle, se vante d'avoir mis un terme aux turbulences en
déclarant qu'il n'y a plus de place pour les question-
nements, fussent-ils vieux comme le monde. L'ère du
doute serait révolue et aurait cédé la place à une certitude unique selon laquelle une rélité seule prévaut:
la réalité fiscale. Quiconque remet en doute le dogme
selon lequel la terre tourne dorénavant autour de la
dette se voit ainsi accusé du pire crime qui soit: celui
de ne pas se plier aux exigences de la pensée fiscale
et de ne pas remettre aux oubliettes les interrogations
millénaires, telle l'épineuse question des fondements
de la citoyenneté ou celle, non moins problématique, de la relation qu'il devrait y avoir entre l'État et
l'individu.

---

1. Patrice MARTIN est co-auteur avec Patrick SAVIDAN de *La
culture de la dette*, Boréal, 1994.

Le doute, s'il fut un jour l'essence même de la pensée critique, est aujourd'hui perçu comme le pire fléau qui soit. Depuis une quinzaine d'années, nous assistons à la montée d'une nouvelle certitude: la lutte au déficit passe avant tout. Tout. Quoi qu'en disent ses apologistes, nous retrouvons dans l'argumentaire fiscal le propre de l'idéologie: désignation d'un ennemi commun; cohérence interne; hiérarchie des valeurs; promesses d'u futur meilleur; dénigrement des «autres», terminologie spécialisée, etc. La question de la dette est devenue omniprésente et tend à être le point de départ nécessaire de toute réflexion se voulant sérieuse. Cette façon de penser le monde donne naissance à une nouvelle hiérarchie des priorités (et donc des valeurs) qui débouche elle-même sur une nouvelle façon d'appréhender notre rapport avec les autres. On assiste, semble-t-il, à l'émergence d'une nouvelle idéologie: l'idéologie de la dette, *l'idéologie budgétaire*.

On répondra ici qu'il faut être réaliste; que les exégètes de la dette ne sont pas des idéologues; mais qu'ils s'élèvent au-dessus des débats idéologiques en proposant ce qui pour eux n'est rien d'autre que le bon sens. On dira, de plus, que le problème de la dette est devenu à ce point grave que l'on ne peut plus se permettre de ne pas agir. Il ne s'agit pas ici de nier l'ampleur de la dette encourue par les instances gouvernementales canadiennes. Il s'agit plutôt de soulever quelques questions par rapport à la soi-disant objectivité de la perspective fiscale. Car les défenseurs de la rigueur budgétaire, qui se réclament d'un réalisme dénué de toute motivation subjectiviste ou partisane, considèrent que la question de la lutte au déficit n'a rien à voir avec le politique ou l'idéologie. Or, est-ce vraiment se situer au-dessus des débats idéologiques que de suggérer qu'il n'y a de nos jours que deux choix: l'inéluctable apocalypse post-dette qu'engendre l'inaction, ou la rédemption que seules les coupures sauvages peuvent nous apporter?

Ce genre d'argumentation manichéenne ne date pas d'hier, mais dans le contexte d'une époque où le chiffre est en voie de s'imposer comme valeur universelle, une telle rhétorique devient d'autant plus pernicieuse qu'elle nie la possibilité d'un dialogue entre citoyens. Après tout, à quoi bon l'idée d'une discussion sur ce qui est souhaitable pour la société en général, si l'on part de la prémisse qu'en dernière analyse il faudra ignorer les réalités humaines et sociales si les chiffres l'exigent! L'expert-comptable est en voie de remplacer le citoyen comme ultime décideur. La lutte au déficit, en ceci qu'elle remet en cause les acquis sociaux des dernières décennies et pose en absolu la fiscalité, promeut une conception unidimensionnelle de la société, où le concept même de citoyenneté perd tout son sens, car la vérité réside non pas du côté d'une sagesse populaire mais bien du côté des lois rigides de la mathématique fiscale. La réalité mathématique (c'est-à-dire comptable et fiscale) semble en voie d'usurper, une fois pour toutes, la réalité sociale (c'est-à-dire dialogique et politique). Ainsi peut-on dire que l'horizon indépassable de notre époque, notre réalité bien à nous, n'est ni physique (océans infranchissables) ni politique ou idéologique (gauche/droite). Notre réalité est plutôt fiscale et, à ce titre, il est possible de parler d'une *culture de la dette*.

La mécanique de l'endettement est assez bien connue: budgets déficitaires successifs, incapacité à rembourser l'emprunt d'année en année et, enfin, intérêts annuels débilitants, menant à une perte de contrôle de la dette. Mais le «discours» qui s'articule autour de la problématique de la dette dépasse de loin les paramètres de la fiscalité. Au niveau des mécanismes de la pensée, l'idéologie budgétaire qui naît de l'absolutisation des principes de la fiscalité s'insère dans la logique de ce que Herbert Marcuse nommait jadis la pensée instrumentale. La lutte au déficit et, plus globalement, l'élimination de la dette, devient la fin ultime (l'ennemi commun) pour toute une génération de Canadiens qui, nous dit-on, a vécu au-dessus de ses moyens pendant trop longtemps. L'acte de penser se réduit dès lors à trouver des façons toujours plus novatrices d'atteindre l'objectif ultime d'un équilibre des finances publiques. Poser une question comme celle-ci: «Quel genre de société voulons-nous?» devient conséquemment futile. Il faut plutôt se demander: «Quel genre de société pouvons-nous nous payer?» Réduisant le social au fiscal, le discours fiscal revendique une conception non politique de la société et une conception non interventionniste de l'État. On assiste ainsi au désengagement de l'État et à la transition d'une société de consommation (où les valeurs hédonistes prévalent selon la séquence: consommation, croissance illimitée, plaisir) vers une culture de l'austérité (où prévalent le sacrifice, la culpabilité, l'équilibre et, bien sûr, la rigueur budgétaire).

Cette culture de l'austérité profite également d'une conjoncture écologico-médicale selon laquelle l'heure est à l'équilibre, des corps comme de la nature. Évidemment, là où la médecine ou l'environnementalisme partent de réalités «concrètes» (le corps, le monde naturel) la pensée fiscale part d'une abstraction chiffrée et volatile. La valeur de la dette peut ainsi, en quelques secondes et suivant l'humeur des marchés boursiers ou des agences de cote de crédit, chuter ou grimper de quelques milliards de dollars. On a beau construire des «Horloges de la dette» traçant la progression effrénée de «notre» dette et dire que l'on connaît l'ampleur de cette dette publique au sou près, il reste que tous les experts ne s'entendent pas quant à la taille exacte de la bête. Ce qui ne les empêche pas de la pointer du doigt à coup de gros chiffres. Il serait tentant, ici, de voir comment le chiffre, initialement un «instrument» de mesure ne pouvant aller au-delà de la description, se transforme en valeur, et comment, à partir de celui-ci, on peut affirmer que le non-remboursement d'une dette de 550 milliards est «immoral», alors que l'abandon de programmes sociaux est un acte de responsabilité. En d'autres mots: il serait intéressant de voir comment le chiffre est passé du domaine de la description à celui de la moralité.

La critique de la quantification du réel est certes abondante et nous pourrions, avec Weber, Lukacs ou l'École de Francfort, tenter de démontrer qu'une telle réduction du social au fiscal, loin d'être le couronnement d'une raison humaine ayant atteint les plus hauts sommets de l'objectivité et de la scientificité, devient au contraire une négation de la raison. Nous n'avons en effet qu'à énumérer quelques-unes des images de la dette dont les médias nous assaillent de façon quotidienne pour voir que le discours de la dette ne fait pas appel à la raison mais bien à l'imagination. Allant du «fleuve de la dette» à la «crise de l'endettement», du «gouffre de la dette» au «monstre de la dette», en passant par «l'abîme», le «cancer», la «bombe à retardement» ou le «Minotaure» qu'est la dette, ces images, parfois mythologiques, toujours hyperboliques, visent à nous faire imaginer et non pas *comprendre* l'ampleur du problème. Le discours de la dette est en grande partie cultivé de la même façon qu'a pu l'être, en son temps, le discours anticommuniste: il fait appel à l'imaginaire plus qu'à la raison; provoque la peur plus que le questionnement critique; invite à la démagogie plus qu'à la discussion.

La culture de la dette arrive donc à point nommé pour les sociétés occidentales en manque de solidarité(s). Dans le cas du Canada, on abandonne le problématique «sentiment d'appartenance», de peur sans doute qu'il devienne le seul aspect de l'expérience humaine à se réclamer de l'irrationnel, pour adopter un critère de fondement identitaire qui soit plus de son époque: l'endettement collectif. Est citoyen qui est conscient d'être endetté. Les anciens clivages (catholiques-protestants, français-anglais, gauche-droite) disparaissent et les particularités polymorphes que laissaient transparaître ces paradigmes primaires se fondent en une culture indistincte et docile. La culture de la dette est la culture de la dernière chance, car si nous ne nous plions pas à ses exigences aujourd'hui, ce sera le chaos demain. Les experts ont «fait faire» des études qui le prouvent, d'ailleurs.

126

Les apologistes de l'État minimal reconnaissent en effet que l'emprunt est un outil légitime de gestion du long terme pour ce qui est du secteur privé. Mais, depuis quelques années, ils tentent de nous convaincre que ce qui est logique et bon pour le secteur privé est illogique et néfaste pour le secteur public. Cette position est d'autant plus paradoxale qu'ils prétendent aussi que le gouvernement n'est rien de plus qu'une grande entreprise que l'on se doit de gérer comme n'importe quelle «autre» entreprise. L'emprunt n'est donc pas mauvais en soi, c'est l'emprunt qui vise à une redistribution des richesses par l'entremise de programmes de santé et d'éducation universels qui est pervers. L'emprunt visant la richesse personnelle n'a, quant à lui, rien de pernicieux, car il vise l'accumulation (individuelle) et non la redistribution (sociale). On voit à quel point l'emprise du chiffre comme valeur absolue sous-tend ce type d'analyse de comptable. Puisqu'ils sont incapables de donner une valeur chiffrée aux bénéfices provenant de politiques sociales (une population éduquée et en santé), les porte-parole de la rigueur budgétaire concluent que les politiques sociales n'apportent rien de concret. Si elles n'apportent rien, on peut les couper. Plus la pensée est simple, plus les solutions sont simples.

L'air grave et résigné, les défenseurs de la rigueur budgétaire semblent nous dire qu'ils aimeraient bien que la réalité soit autre, mais que l'on ne peut «malheureusement» plus sortir du carcan fiscal. Évidemment, ceux qui disent aujourd'hui que nous n'avons pas le choix, qu'il faut que le gouvernement se retire de ce secteur-ci ou de celui-là, disaient la même chose avant qu'il n'y ait une crise des finances publiques. Les hommes d'affaires, les financiers, les économistes ou les éditorialistes de journaux d'affaires qui utilisent aujourd'hui l'argument de la dette pour nous convaincre de l'incontournable virage à droite que nous nous devons de prendre, arrivent toujours, bon an mal an, à cette même conclusion. Force nous est donc de reconnaître qu'en dernière analyse, ils ne sont pas contre le principe de l'endettement comme tel, mais plutôt contre l'idée d'une intervention de l'État dans la société.

Les finances publiques et nous

Yves Séguin
Fiscaliste

Beaucoup sont inquiets de l'avenir, et cela à différents égards: il y a ceux qui s'inquiètent des coupures et de leurs conséquences sociales, et d'autres, des décisions gouvernementales qui vont venir. Je pose le problème sur deux niveaux, à savoir l'état des finances et le bien-fondé des décisions qui en découlent.

D'abord l'état des finances publiques: l'État est-il pauvre ou pas? Quelle est l'appréciation que l'on peut faire, le plus honnêtement possible, de la situation? Deuxièmement, comment réagir à ce que j'appelle la dynamique de l'État: est-ce que le statu quo doit continuer, ou faut-il des modifications? Et comment réagir? Les orientations qu'on nous annonce sont-elles les meilleures? Peut-il y en avoir d'autres?

Au-delà des chiffres, une vision sociale

Ce qui m'intéresse dans les finances publiques, ce n'est pas tellement l'équilibre des chiffres, mais plutôt la vision sociale qu'il nous faut avoir à travers les chiffres. Je dis souvent que les finances publiques, c'est le contrat social dans lequel nous sommes, c'est-à-dire que nous sommes des citoyens qui payons des impôts et des taxes parce que nous organisons des services pour la collectivité. C'est là le sens de notre contrat social.

L'organisation de la société, comme contribuables, comme citoyens, comme membres d'une communauté, suppose d'accepter ce principe qui veut que nous donnions une partie de nos revenus, sous forme de taxes ou d'impôt sur le revenu, pour rendre possible ce projet. Plus l'équilibre est juste entre ce que nous payons et ce que nous recevons, plus il y a de justice. À l'inverse, moins cet équilibre est réalisé, plus le payeur de taxes, le contribuable, trouvera le système inéquitable.

Or je prétends (j'espère me tromper, mais j'ai une certitude en vieillissant) que le système est maintenant devenu fort inéquitable, et les citoyens s'en rendent compte. Ils sentent, même sans pouvoir interpréter tous les aspects économico-scientifiques de la question, qu'ils paient beaucoup de taxes et d'impôt, mais que ce qui leur revient en retour n'est pas toujours à la hauteur. En plus de payer beaucoup, ils constatent de plus en plus un gaspillage qui les rend non seulement colériques mais apathiques, désabusés. Ils «décrochent» du système.

Combien parmi les gens qu'on rencontre vont dire qu'ils ne se sentent pas coupables de faire un peu de travail au noir, un peu d'évasion fiscale, de faire réparer leur voiture dans un garage où il n'y a pas de facture, ou de faire venir un entrepreneur au noir à la maison parce qu'on paie ainsi moins cher. Bien souvent, on ne leur répond pas: «Te sens-tu coupable vis-à-vis l'État ou de tes responsabilités?» Mais plutôt: «Donne-moi l'adresse, je vais me dépêcher d'y aller.»

Plusieurs pensent ainsi parce que donner à l'État équivaut à «se faire avoir». L'État est perçu comme un système qui triche, qui dépense mal, qui gère mal, qui gaspille, qui privilégie des amis, des groupes, ou des entreprises qui sont près du «pouvoir».

Des coupures pour qui?

Les politiciens ne parlent que de coupures et de restrictions pour les citoyens ordinaires, mais curieusement, ils ne s'imposent pas toujours les mêmes sacrifices. Et pour bien connaître le système, je ne peux faire qu'une constatation: notre système comporte des zones habituelles d'attaques et des zones habituelles de tabous. Curieusement, le tabou est mis sur tous les efforts, sacrifices, compromis, qui concernent ceux que j'appellerais les bien nantis de la société.

Tous ceux qui gagnent 100 000$ et plus par année (il y en a à peine 1% selon les statistiques), concentrent dans leurs mains environ 43% du revenu annuel déclaré au Canada. On voit que c'est un faible pourcentage de la population, c'est vrai, mais ce 1% de la population, cependant, qui gagne 43% des revenus, ne paie que 22% en impôt fédéral et un peu moins dans les provinces. Et on constate que ces gens paient proportionnellement 7% de moins d'impôts que ceux qui gagnent 30 000$ par année. Il y a donc ici un paradoxe.

Tout cela se répercute dans le discours public, ce qui personnellement me scandalise. Même si j'accepte l'idée qu'il faut des compressions et des coupures, il ne faut pas uniquement s'en prendre aux programmes sociaux qui coûteraient trop cher, aux fonds de pension, aux allocations des personnes âgées, etc.

Les politiciens disent qu'on est peut-être «trop généreux, ce qui coûte trop cher». Il se développe actuellement une école de pensée, influencée par l'establishment financier, qui, à chaque impasse financière, se retourne vers les programmes sociaux, pour les *«réformer»*.

Selon eux, il faut couper et «mettre la hache là-dedans». On n'a plus les moyens, disent-ils. Peut-être ont-ils raison, mais alors pourquoi ne coupent-ils pas dans tous les privilèges qu'ils ont eux-mêmes et qui coûtent très cher?

Vous ne les entendez jamais parler des abris fiscaux. Il y a présentement 23 types d'abris fiscaux qui coûtent à l'État environ 19 milliards $ par année. Ces abris profitent en général à des gens qui déclarent annuellement plus de 100 000$ de revenus. Jamais on n'entend, sur la place publique, un ministre, un élu ou une personne du système dire qu'il faudrait regarder là-dedans, pour y faire des petits ménages. On n'entend pas non plus remettre en question les subventions aux entreprises. Il est vrai que le dernier budget fédéral a réduit certaines subventions, mais il en reste encore beaucoup.

Il faudrait reconnaître au départ (et les chiffres ont été établis à ce propos) qu'il en coûte à l'État approximativement autant en programmes et en services offerts à la population qu'il en coûte en abris fiscaux, en autres largesses fiscales et en subventions aux entreprises et sociétés. C'est 23 milliards $ par année d'un côté comme de l'autre (voir à ce sujet le document du gouvernement fédéral, *Dépenses fiscales*, publié en décembre 1994).

Mais dans le discours public, on ne met pas en cause tout ce que coûte cette deuxième moitié. On ne parle que de remettre en cause, à titre d'exemple, les transferts aux provinces pour la santé et l'éducation, mais pas un mot sur les abris fiscaux et autres privilèges. Et pendant ce temps-là, on continuera à dépenser beaucoup au ministère de la Défense.

L'État à la dérive

On peut se demander d'où proviennent les revenus de l'État. Le Canada a un peu plus de 26 millions d'habitants, dont environ 13 millions paient de l'impôt. Et 93% de ces contribuables gagnent moins de 30 000$ par année tout en fournissant près de 90% de tous les revenus de l'État. L'autre 10% provient des gens plus riches ou des corporations.

Donc, quand on observe ce tableau, on se dit véritablement que l'État, c'est le monde ordinaire. Oui, il y a une certaine richesse qui alimente les coffres de l'État, mais ce n'est pas là qu'est essentiellement la grande source de revenus pour l'État. C'est un fait (et l'ancien ministre du Revenu que je suis peut l'attester avec beaucoup de vérité) que les sommes d'argent sont collectées auprès d'une population qui essentiellement gagne moins de 30 000$.

Ce qui me dérange, c'est justement de constater que c'est cette population qui, depuis dix ans, subit l'ensemble des coupures. Et à l'inverse, dans le secteur des affaires, des corporations, des entreprises, ces avantages ont tendance à augmenter. Tout cela n'est pas conforme à la loi de la grande majorité. Le gros bon sens dit qu'il devrait y avoir un équilibre, mais c'est le contraire qu'on constate. Un préjugé favorable alimente de façon privilégiée un secteur au détriment de l'autre. Autrement dit, si on doit procéder à des coupures, et je crois qu'on ne pourra pas y échapper, il faut s'assurer que tous les contribuables, sans exception, y contribuent de la même façon.

Les programmes sociaux et leurs coûts

Tout le débat des finances publiques passe par la question de la dette: est-ce grave, et quelle est la situation réelle?

C'est là où nous en sommes aujourd'hui. Le discours public annonce des coupures dans un ensemble de secteurs qui touchent les programmes sociaux. Est-ce justifié? Autrement dit, les finances publiques des gouvernements sont-elles dans une situation si mauvaise qu'il serait bien justifié de faire ces coupures?

À strictement parler, avec l'endettement, les finances publiques sont profondément malades. Sans faire de démagogie, les chiffres sont aberrants. Je calculais récemment que l'endettement total, soit le scolaire, le municipal, les provinces réunies et celui du Fédéral, aura au mois de *mai 1996*, franchi le *trillion de dollars*. On ne rembourse pas de capital depuis longtemps. À Ottawa, on paie 45 milliards en intérêt. C'est le tiers de tous les dollars collectés en impôt et taxes au pays. Autrement dit, à Ottawa, sur tout ce qui est collecté en recettes et revenus, taxes d'accises et autres taxes, on en prend le tiers, 45 milliards, et on paie juste l'intérêt.

Quelle est la conséquence pratique de ce système? On entend souvent dire que le pays est riche, qu'on pourrait hypothéquer nos voies ferrées, nos systèmes hydroélectriques, etc., et aussi qu'on possède une belle valeur, qu'on ne fera pas faillite demain matin. Mais l'aspect pratique pour monsieur et madame Tout-le-monde, c'est la pression fiscale.

Un gouvernement qui est dans une telle situation, comme n'importe quelle organisation financière, est obligé, ne serait-ce que pour équilibrer son budget et pour empêcher l'explosion dans les 12 mois à venir, de maintenir le niveau de croissance des revenus.

Mais on assiste à une manipulation du gouvernement en ce qui concerne les chiffres, parce que les gouvernements savent bien que la situation est au bord de l'explosion. Depuis un an, pour la première fois depuis la Deuxième Guerre mondiale, le Canada reçoit des signaux. Le FMI s'apprête, vers le mois de février ou mars 1995, pour la première fois dans le cas du Canada, à émettre un avis public d'alerte financière. Certains investisseurs étrangers commencent à déconsidérer le Canada comme endroit où acheter des obligations. Pourquoi?

— D'abord parce que les taux d'intérêt sont moins attrayants, étant donné la faiblesse de notre dollar.

— Deuxièmement, quand on investit beaucoup d'argent dans un pays qui est stressé financièrement, cela veut dire que le gouvernement s'apprête à prendre des décisions stressantes. Cela veut dire aussi que les gouvernements finissent les années en catastrophe et décident des hausses de taxes ou éliminent des déductions fiscales. Les investisseurs savent que le milieu du placement peut souvent écoper dans ces conditions, ce qui a une influence sur les taux d'intérêt. Ils préfèrent donc investir ailleurs. On le remarque déjà.

Conséquences de la pression fiscale

La pression fiscale représente une conséquence bien réelle. Les gouvernements savent bien que, pour les douze mois qui viennent, ils ne peuvent pas diminuer le fardeau fiscal. Et, contrairement à ce qu'ils prétendent, et c'est pourquoi je parle de manipulation, ils vont dire: «pas d'augmentation d'impôts cette année». Et là on les croit tous, bien sûr. Mais en réalité, que se passe-t-il? Quand on regarde les recettes fiscales rapportées selon les comptes publics, les revenus encaissés par l'État, que ce soit à Ottawa ou à Québec, n'ont, depuis 1961, à peu près pas baissé d'une année à l'autre. Jamais. Tous les montants encaissés à chaque fin d'année se sont avérés, presque toujours, légèrement supérieurs à ceux encaissés l'année précédente.

C'est une hausse moyenne de 5,7% depuis 1961. C'est aussi vrai en 1990, 1991, 1992, 1993, 1994, et cette année, vous avez entendu le ministre des Finances du Québec dire qu'il y avait des revenus en moins, que c'était catastrophique. Or cela est inexact. Il a publié, en décembre 1994, un document sur les finances du Québec et, à la page 45, on voit le tableau des rentrées d'argent pour les six premiers mois de l'année. Elles sont en hausse de 6,2% par rapport à celles de l'année précédente. D'où vient qu'il affirme le contraire? Il dit que c'est *moins que prévu*, parce qu'on avait prévu beaucoup plus. Mais cela laisse entendre que les revenus ont diminué et qu'il faut donc couper. En réalité, le problème vient de l'augmentation des dépenses.

Le ministère du Revenu, tant à Québec qu'à Ottawa, a une comptabilité de tout ce qui est collecté. Le reste, c'est la mise en forme des chiffres: on peut jouer avec les méthodes comptables; on peut aussi jouer avec un budget gouvernemental. La preuve: le Vérificateur général du Québec vient de dire, il y a quelques jours, que le gouvernement ne mettait pas dans ses livres la dette qu'il avait sur le fonds de pension des employés de l'État. Il s'agit quand même de 10 milliards $.

Il y a deux ans, en pleine récession, on entendait dire que, parce qu'on était en récession, les revenus avaient diminué et qu'il fallait donc couper. Mais si on regarde les recettes, l'année la plus forte était 1991, avec 8,2% de hausse, en pleine récession! Il faut comprendre la mécanique fiscale. Elle est complexe, et une mesure fiscale, normalement, se répercute sur plusieurs années, généralement trois ans. Le plus souvent, une mesure ne sera en vigueur que l'année suivante et, ainsi, on aura oublié que l'année précédente on avait annoncé la coupure, ou la diminution, ou la restriction...

Les annonces «fiscales» ressemblent aux annonces chez l'épicier: vous entrez à l'épicerie et on vous annonce un spécial sur les bananes, mais on ne vous a pas dit que le jambon venait d'augmenter de 20%. Alors vous êtes attrapés par deux, trois annonces, mais le coût de votre panier d'épicerie n'a jamais baissé depuis cinq ans. Par contre, il y a des magasins qui font plus d'annonces que d'autres et vous avez l'impression que cela coûte moins cher d'aller là. C'est peut-être vrai en comparaison avec d'autres, mais en comparaison avec ce que vous avez payé cette année, l'année passée et l'année d'avant, il est bien certain que le coût du panier d'épicerie a augmenté.

Le gouvernement annonce que la déduction pour enfants à charge est indexée de 5%. Tout le monde dit bravo, et le ministre annonce que le fardeau fiscal de 765 000 familles va diminuer. Mais c'est faux. Le fardeau ne diminue pas, parce que, sans rien dire, le ministre vient d'annuler la déduction des intérêts qui s'ajoutent, qu'il vient d'annuler la déduction du remboursement de taxe foncière aux personnes âgées, qu'il vient de couper ici et là. Donc, la facture globale est en hausse.

Le rôle de l'opinion publique

Mais il y a un phénomène intéressant à travers tout cela: l'opinion publique est beaucoup plus lucide qu'avant sur ce genre de choses. D'abord, l'opinion publique vis-à-vis des gouvernements, des élus, des politiciens, est devenue très sévère. On ne croit plus au message public. Donc, il y a un scepticisme profond dans l'opinion publique à l'égard de la crédibilité à accorder ou non au message public, surtout dans les finances publiques, les décisions gouvernementales, etc. Et les gens ont tellement vu de gaspillage!

Considérez les rapports du Vérificateur général. Chaque année, je les compare avec ceux des années antérieures: le premier avait 85 pages, et il constatait de grossières dépenses de quelques millions. Le dernier du Fédéral a 1200 pages qui s'étalent sur 7 milliards $. Quand on lit cela (comme celui de Québec), on trouve des tas d'exemples d'aberrations... On se dit: «Mais, c'est pas possible!» D'ailleurs, si je vous apportais ce rapport qui serait d'un pays quelconque, sans nom, en le lisant vous vous diriez: «Mais, quel pays de broche-à-foin!»

Couper, oui... mais où?

Et au même moment, tous ces grands décideurs «courageux» se lèvent pour dire qu'on n'a plus d'argent. Ils se virent de bord, voient l'assurance-chômage, et ils se disent: «On coupe là-dedans.» C'est vrai que l'état des finances publiques est inquiétant, le problème est très sérieux, on est mal organisé, mais il me semble que le mode d'intervention à privilégier n'est pas celui qui domine. Je crois beaucoup à l'exemple que doit donner lui-même le gouvernement. Et là-dessus, on est dans une période où on dirait que les valeurs n'ont plus d'importance; et où on pense que les exemples à donner ne sont plus importants. Comment voulez-vous qu'un gouvernement qui légifère et organise lui-même les casinos puisse espérer que les citoyens qui le regardent s'en inspirent?

Il y a des messages dans les gestes qu'un gouvernement fait, lesquels, de toute façon, sont interprétés par les citoyens. Les gens, les citoyens, s'attendent à être inspirés. On peut ne pas être d'accord avec une décision, mais à tout le moins, si ça fait appel à des valeurs inspirantes, ça nous rassure.

Je ne crois pas aux retombées économiques des casinos. Il y a beaucoup d'investissements au casino, il y a beaucoup d'argent au casino, mais on sait maintenant que 87% de ceux qui fréquentent le casino sont des Québécois avec un revenu inférieur à 30 000$. On a simplement déplacé de l'argent qui se dépensait au Québec dans des activités de jeux, de récréation ou de tourisme, vers une autre activité. Et sur l'ensemble du Québec, l'équation est presque nulle.

On parle de coupures. Durant la campagne électorale fédérale, on a beaucoup parlé du fonds de pension des députés à Ottawa qui est scandaleusement généreux. Après six ans de présence au Parlement comme élu, un député a droit à un fonds de pension. Après six ans, il a contribué approximativement pour 57 000$ et alors il a le droit d'encaisser automatiquement 25 000$ environ par année jusqu'à sa mort, et en plus à partir de 65 ans, ce montant est indexé.

Pour avoir l'équivalent en temps normal, il faudrait avoir placé environ 1,4 million $ comptant. Il est clair que le régime en place n'a aucun sens.

Regardez la TPS et la TVQ: les politiciens se promenaient à l'époque en disant qu'au moins cela aiderait à payer le déficit. Plusieurs y ont vu un grand avantage. Trois ans plus tard, cela n'a rien donné. Mais on continue de payer cette taxe, et c'est une taxe nouvelle, sur les services, qui n'existait pas avant. La TPS rapporte plus que l'ancienne taxe, mais les gouvernements dépensent tellement mal que l'effet est nul.

Gaspillage des fonds publics

Je remarquais récemment, par exemple, que le gouvernement fédéral, s'était fait sermonner par le Vérificateur général, il y a trois ans, parce qu'il avait 30 000 voitures, ce qui représente 450 millions $ d'achats et 100 millions $ d'entretien par année. Cette flotte change au rythme de 20% par année. Malgré la promesse de revoir cette situation, on constate aujourd'hui la même situation, rien n'a changé, mais on veut «couper». Le Vérificateur général du Québec a récemment révélé que le gouvernement possède 20% d'espace de bureau vide. Mais pour combler cette lacune, on a choisi de remplir ces espaces avec des meubles qui ne servent pas et qu'on change quand même tous les quatre ans! Tout cela est évalué à environ 20 millions $ par année. Dans les rapports des vérificateurs, on a environ 300 exemples de ce genre. Des immeubles vacants, des voitures de trop, des projets abandonnés, des équipements inutiles, des entrepôts presque vides: les exemples s'étalent sur des centaines de pages.

La confiance publique minée

Le système a comme perdu le contrôle sur lui-même. À cela s'ajoute toute cette dynamique de suspicion qui est maintenant en chacun de nous. L'élément qui manque le plus pour solutionner les problèmes est celui de la confiance. Si les gens sont au départ convaincus que le système triche, tous les efforts pour changer les choses sont voués à l'échec. Si chacun est convaincu que, dans le fond, les efforts sont inutiles, rien ne pourra changer dans l'appareil de l'État, et cela inclut les employés de l'État eux-mêmes.

Quand on vit dans un système qui n'est pas convaincu lui-même qu'il faut faire des économies aux bons endroits, et lorsque presque tout le monde partage le même sentiment sans trop le dire, les annonces de gels et de coupures dans les dépenses de l'État n'ont à peu près pas de conséquences. Le système fonctionne comme si tout le monde était dans une béate certitude silencieuse à l'effet qu'on ne peut avoir confiance dans la gestion de l'État. C'est comme si on ne croyait pas que l'argent récupéré à la suite de coupures sera utilisé correctement.

Dans la mesure où on a confiance que l'argent qu'on donne au gouvernement est bien administré, raisonnablement géré, les contribuables sont alors réceptifs aux efforts demandés et les employés de l'État le sont également.

Et tout cela me fait peur, car s'il y a une dérive des finances publiques, il y aura aussi une dérive de l'État. Mon propos peut paraître négatif et ce n'est certainement pas un message réjouissant, mais au moins je l'espère lucide.

Des choix pour l'avenir

Je ne dis pas qu'il faut tout donner à tout le monde, mais l'État doit faire des choix et, en premier lieu, s'imposer à lui-même les sacrifices qu'il veut demander aux autres. Un vieil adage africain dit qu'entre la parole et le geste, il y a souvent un long voyage. Alors, que l'État arrête de parler et qu'il le fasse. Il faut que les gens retrouvent confiance et c'est là le prix que l'État doit payer s'il veut regagner leur confiance. La seule façon de redresser la situation commence donc par là. L'État doit se donner en exemple d'abord, ce qui veut dire sobriété, simplicité et rigueur dans la façon de dépenser. Ensuite, il faudra faire une réforme de la fiscalité, pour rééquilibrer le fardeau fiscal entre les différents groupes de contribuables, et diminuer certaines charges pour ceux qui n'ont pas les moyens, tout en allant chercher de nouveaux revenus là où certains peuvent fournir un effort supplémentaire et, enfin, introduire de nouvelles mesures favorisant l'économie. Comment expliquer que les actions cotées à la Bourse soient encore les seuls biens exonérés de la TPS et de la TVQ? Alors que l'on songe actuellement à taxer les REÉR du monde ordinaire, commençons donc par rétablir une meilleure équité, ensuite on pourra regarder du côté des pro-

143

grammes sociaux. Mais tout cela doit se faire d'après l'ordre des priorités que je viens d'évoquer. Si les gens voyaient d'abord les gouvernements faire le ménage dans leur propre cour, s'ils voyaient ensuite réformer la fiscalité afin qu'elle soit plus équitable, ils pourraient peut-être consentir alors à certains sacrifices.

Les politiques fiscales

Francine Couture

> «L'impôt, c'est l'art de tirer sur le dos de la poule le maximum de plumes avec le minimum de cris...» (Colbert, cité par Yves Séguin, *Affaires Plus*, mai 1994**)**

On ne peut parler de politiques fiscales sans parler des gouvernements. Dans le cadre de ce texte, les gouvernements désignent le gouvernement du Canada et le gouvernement du Québec.

Les rôles des gouvernements

Les rôles des gouvernements peuvent être définis par quatre grandes fonctions: une fonction d'arbitre, une fonction de producteur de biens et services, une fonction de redistributeur et une fonction de stabilisateur de l'économie.

Dans sa fonction d'arbitre, le gouvernement (fédéral ou provincial) établit des lois et des règlements, comme par exemple les normes du travail ou le CRTC, et s'assure qu'ils soient respectés. Il assume cette fonction via le système judiciaire et législatif.

Parfois, les citoyens préfèrent donner à l'État la responsabilité de fournir un service ou de produire un bien (plus rare), en particulier au lieu de laisser l'entreprise privée s'en charger. La Société canadienne des postes, Hydro-Québec et Radio-Canada sont des exemples de cette fonction de producteur de biens et services.

Le libre marché conduit souvent à des inégalités de revenus qui sont socialement inacceptables. On pense aux personnes sans emploi, aux personnes âgées, aux personnes souffrant d'un handicap, ou d'autres encore, victimes d'accidents de la route ou de travail. La répartition de la richesse, dans le but d'établir une certaine équité sociale, est une fonction léguée à l'État. Puisqu'il s'agit de redistribution de revenus, le gouvernement doit assumer cette fonction en terme de dépenses et de revenus à aller chercher. L'assurance-chômage, la sécurité du revenu, les prêts et bourses, les prestations de la CSST, la pension pour les personnes âgées illustrent bien la fonction de redistributeur assumée par les gouvernements.

Le niveau de l'activité économique varie dans le temps. L'économie passe par des périodes de chômage élevé à des périodes où la grande activité économique est accompagnée d'inflation. Les gouvernements peuvent réduire ces variations afin de minimiser les effets sur leurs citoyens des écarts de l'activité économique. Par exemple, un gouvernement pourrait décider de stimuler l'économie en période de chômage élevé, en augmentant ses dépenses ou encore en réduisant les impôts. On parle alors de politiques économiques expansionnistes. Un gouvernement peut aussi intervenir dans le but de ralentir l'activité économique en période d'inflation, en coupant dans certaines dépenses, ou bien en augmentant les impôts pour faire diminuer les pressions sur les prix. On parle alors de politiques économiques restrictives.

Les gouvernements, fédéral ou provinciaux, ont reçu des citoyens le mandat d'assumer ces quatre grandes fonctions. Pour remplir leur mandat, les gouvernements établissent des normes et votent des lois; ils appliquent des politiques monétaires (au fédéral, surtout) en intervenant sur les taux d'intérêt et des taux de change; ils utilisent des politiques fiscales, collectant des impôts et des taxes pour exercer leurs diverses fonctions.

La fiscalité, c'est le contrat social entre les citoyens et le gouvernement. Les citoyens sont prêts à donner une partie de leurs revenus afin d'assurer que le mandat confié aux gouvernements puisse être rempli pour l'ensemble de la population. Les revenus des gouvernements proviennent des taxes et impôts pour payer les dépenses sous forme de services offerts à la population.

Les grandes politiques économiques et la fiscalité

Les gouvernements doivent faire face à une rude réalité: les besoins de la population sont illimités alors que les ressources sont limitées. Les gouvernements doivent se préoccuper, en même temps, de la croissance de l'activité économique (augmentation du produit intérieur brut, le PIB), du niveau de l'emploi (on vise le plein emploi), de la stabilité des prix et de l'équilibre des échanges avec nos partenaires commerciaux de l'étranger. Au Canada et au Québec, on doit ajouter un cinquième élément: les pressions causées par le déficit budgétaire et la dette publique. Les revenus provenant des impôts et des taxes payés par la population devraient servir à atteindre ces objectifs de la politique économique des gouvernements.

Les déficits budgétaires (qui se définissent comme étant la différence entre les revenus et les dépenses pour une période budgétaire donnée, habituellement une année) et la dette publique (qui regroupe l'ensemble des déficits budgétaires accumulés, plus les intérêts) exercent une pression sur les ressources financières disponibles aux gouvernements. Le tableau A présente la situation du déficit et de la dette, estimés pour 1994-1995 pour le Canada et le Québec, ainsi que le montant de l'intérêt annuel.

Ainsi, on prévoit que les dépenses du gouvernement du Canada seront supérieures de 37 milliards à ses revenus. Le montant de la dette totale de ce gouvernement atteindra plus de 600 milliards $. La population canadienne rembourse 50 milliards, seulement pour payer les intérêts sur cette dette. La situation au Québec est semblable. Ainsi, les dépenses du gouvernement provincial dépasseront les revenus d'environ 6 milliards, augmentant la dette publique québécoise à 60 milliards $, pour laquelle la population du Québec paie plus de 5 milliards en intérêts pour cette seule année.

Situation du déficit et de la dette
au Canada et au Québec
(en milliards de dollars)
1994-1995

	Déficit	Dette	Intérêts sur la dette
Au Canada	37,0	600,0	50,0
Au Québec	6,0	60,0	5,5

Sources diverses.

C'est donc dire que 50 milliards $ payés par les impôts et les taxes des citoyens canadiens et 5,5 milliards $ provenant des citoyens québéçois ne servent pas à assumer le mandat donné aux gouvernements et à promouvoir les politiques économiques, mais bien à rembourser des dépenses pour lesquelles la population ne reçoit aucun bien ou service.

Provenance des revenus des gouvernements

Les gouvernements utilisent la fiscalité pour atteindre les objectifs du mandat qui leur a été donné par la population. Les pressions causées sur les budgets gouvernementaux par la dette les obligent à trouver des revenus supplémentaires afin de faire face aux paiements de la dette accumulée. Les gouvernements sont maintenant forcés de réduire leur déficit. Ils sont contraints d'imposer plus de taxes tout en dépensant moins. Les gouvernements se retrouvent ainsi dans une situation où leur capacité d'intervention est réduite.

Les revenus des gouvernements proviennent principalement des impôts des particuliers et des entreprises, des taxes et des entreprises publiques. Le tableau B montre la répartition de l'impôt sur le revenu, au Canada et dans l'ensemble des provinces, pour les particuliers et les entreprises. Ce tableau[1] révéle une répartition de l'impôt sur le revenu qui est

Tableau B
Répartition des paiements d'impôts
sur le revenu, fédéral et provinciaux réunis

Année	Impôt des particuliers (en milliards $)	Pourcentage de l'impôt des particuliers	Impôt des corporations (en milliards $)	Pourcentage de l'impôt des corporations
1950	3,3	48	3,2	46
1960	7,4	56	5,2	39
1970	24,7	70	9,9	28
1980	41,6	75	12,7	23
1992	87,6	90	7,4	8

bien inégale entre les particuliers et les entreprises. De plus, si on ajoute les effets de la TPS et de la TVQ, le pourcentage devient encore plus important pour les particuliers qui sont pratiquement les seuls à payer ces taxes.

Les gouvernements expliquent ces différences par le fait que les entreprises ne peuvent pas assumer

---

1. Le tableau B et les informations de cette partie du texte sont tirés de Léo-Paul LAUZON et Michel BERNARD, «La fiscalité et le pouvoir des compagnies», *L'aut'journal*, nº 129, déc.-janv. 1995, page 3.

une augmentation de leurs impôts et/ou une réduction de leurs déductions fiscales sans affecter leur position concurrentielle dans le contexte de la mondialisation de l'économie. Ainsi, environ 1200 entreprises prospères n'ont pas payé d'impôt sur le revenu l'an dernier. Cela provient des faveurs fiscales comme l'amortissement accéléré qui permet un report de 40 milliards $ d'impôt pour les entreprises.

Ces reports d''impôt représentent une subvention invisible de la part des gouvernements. Ces impôts sont reportés indéfiniment et augmentent continuellement d'année en année. Ces impôts reportés ne paraissent nulle part, puisqu'ils ne représentent pas des dépenses par les gouvernements (comme un chèque de subvention le ferait) mais ils demeurent, en fait, des revenus non réclamés. Contrairement à une dette ordinaire, les impôts reportés ne portent pas intérêts, n'ont pas de date d'échéance précise et ne sont pas payables si l'entreprise fait faillite. L'impôt reporté constitue pour l'entreprise un mode de financement gratuit.

Dans un sens, les gouvernements accordent, de cette façon, des prêts sans intérêts aux entreprises. Si on ajoute à cela les subventions gouvernementales, les taux d'impôts réduits, les mesures protectionnistes, les abris fiscaux, le régime épargne-actions du Québec, les crédits d'impôt, l'aide gouvernementale aux entreprises en difficulté, les prêts sans intérêts et à taux d'intérêts réduits consentis par les gouvernements aux entreprises, cela constitue, dans les faits, beaucoup de soutiens financiers accordés à un secteur privé, censé être plus efficace que le secteur public. L'«assistance sociale» aux entreprises se porte bien!

Au même moment, les privilèges fiscaux (les abris fiscaux) permettant de payer moins d'impôt sur le revenu, comme les REER et autres crédits d'impôts, restent souvent inaccessibles à la majorité des particuliers. Il y a environ 111 mesures fiscales pour les particuliers, représentant environ 17 milliards $ par année. Près de 30% de ces mesures ne sont pas chiffrées, faute de données suffisantes, mais elles sont des mesures ayant peu d'incidences financières. Il y a 288 mesures fiscales du côté des entreprises, dont 112 ne sont pas chiffrées. Ces dernières se retrouvent principalement parmi celles ayant une forte incidence financière.

Ces baisses d'impôt consenties aux entreprises devaient être contrebalancées par des profits plus élevés pour les entreprises et par une création d'emplois importante, ce qui, en fin de compte, était susceptible d'augmenter les revenus des gouvernements provenant des entreprises et des particuliers. Au contraire, on a vu une augmentation des déficits des gouvernements et une augmentation du chômage. En fait, la fiscalité, dans son cadre actuel, remet la gestion, et même la propriété, d'une partie des fonds publics à la classe d'affaires.

En plus de permettre aux entreprises de ne pas assumer leur juste part de la contribution à la richesse collective, les gouvernements ne prennent pas toutes les mesures nécessaires pour s'assurer que tous les montants d'argent qui lui sont dus soient payés. Ainsi, par exemple, les impôts sur le revenu impayés, à la fin de l'année civile 1993, au gouvernement fédéral, s'élèvent à plus de 6 milliards $ (6,5), dont 3,6 (56%) le sont par les particuliers, 2,1 (32%) le sont par les entreprises et 0,8 (12%) représentent les sommes retenues sur les salaires par les employeurs et qui n'ont pas été payées[2].

L'ensemble de ces montants représente autant de revenus perdus qui permettraient de viser des budgets équilibrés (c'est-à-dire que les dépenses ne dépasseraient pas les revenus) ou excédentaires, sans avoir à réduire les dépenses des gouvernements pour les services jugés nécessaires par la population.

Que se passe-t-il présentement?

Les pressions exercées par les déficits et la dette entraînent les gouvernements à réduire ces pressions en utilisant les politiques fiscales: en augmentant les taxes et les impôts et en réduisant leurs dépenses. Les restrictions budgétaires ont ainsi pour conséquences de limiter et de réduire la taille et le rôle des gouvernements (et donc leur intervention dans l'économie).

La population en a assez de payer de plus en plus pour recevoir de moins en moins de la part des gouvernements. Le «ras-le-bol» des citoyens s'exprime par une attitude de scepticisme où l'on demande des comptes aux gouvernements. Ces derniers doivent démontrer la nécessité des programmes et leur efficacité. Les gouvernements répondent par un discours

---

2. *Rapport du Vérificateur général du Canada à la Chambre des Communes*, v. 16, p. 29-12

de restrictions budgétaires. Ils privatisent, ils déréglementent, ils limitent les dépenses publiques, ils coupent des emplois. On espère que le secteur privé et les mécanismes du marché prendront la relève et assureront une meilleure allocation des ressources. C'est l'idéologie du néo-libéralisme qui s'installe.

Ce discours néo-libéral et les politiques mises en place visent à changer les attitudes et les comportements des citoyens et des entreprises afin de décourager la dépendance envers les fonds publics. Les gouvernements invoquent l'autonomie et la responsabilité, incitant par là la population à apprendre à ne compter que sur elle-même. Ils font appel à l'action communautaire pour répondre aux besoins de la population, sans cependant fournir les moyens financiers correspondants. Les gouvernements visent à diminuer les attentes des citoyens envers l'intervention de l'État. Ils font la promotion des coupures dans les programmes, principalement les programmes sociaux. Finalement, les gouvernements renvoient la charge fiscale aux autres niveaux de gouvernement (du fédéral vers le provincial, du provincial vers le municipal) leur faisant porter l'odieux de ces restrictions budgétaires.

Profitant du ras-le-bol des citoyens, exaspérés par les impôts et les taxes à payer et les services qui diminuent, les gouvernements se désistent du mandat qui leur a été confié par la population en diminuant les services et les transferts à la population. On supporte donc les coupures de postes et les coupures des programmes sociaux, incluant la santé, l'éducation, l'assurance-chômage et la sécurité du revenu, afin d'alléger la charge fiscale. Comme si les dépenses dans ces programmes étaient les responsables de la crise budgétaire qui sévit à la fois au Canada et au Québec. On refuse de regarder la fiscalité dans son ensemble, afin de s'assurer que chacun des citoyens, individus ou entreprises, assume sa part équitable dans le financement de la société dans laquelle il vit. On a vu que les gouvernements laissent s'échapper une part importante de revenus. Cet «oubli» fait partie du choix de société qu'on fait. Nous sommes, à des degrés divers, tous responsables de la situation dans laquelle nous vivons présentement.

Que peut-on faire?

Nous sommes tous collectivement responsables de la société dans laquelle nous vivons. Un vieux proverbe dit : «Qui ne dit mot consent.» Nos silences par rapport aux choix faits par les gouvernements quant à l'utilisation des fonds publics (qui sont en réalité l'argent des contribuables, notre argent) envoient le message que nous sommes d'accord avec ces décisions. Nos silences expriment que nous ne nous indignons pas. De façon générale, les gouvernements, qu'ils soient fédéral, provinciaux ou municipaux, iront naturellement là où les intérêts, exprimés haut et fort, de leurs citoyens les mènent. C'est un choix de société dans lequel chaque personne de la collectivité est appelée à se prononcer.

Présentement, les entreprises et divers autres groupes de pouvoir s'expriment haut et fort sur le type de société qu'ils veulent. Ils le font à l'aide de l'argent; par l'utilisation de lobbyistes ayant un accès direct au pouvoir, ou encore par des contributions aux caisses électorales des partis politiques. En exprimant ainsi fortement leurs priorités, ces groupes de pouvoir (à défaut d'un meilleur terme) influencent, en fonction de leurs intérêts propres, les orientations des gouvernements. Leurs intérêts sont rarement solidaires de ceux de l'ensemble de la collectivité. Ces groupes ne visent pas essentiellement une meilleure redistribution de la richesse collective ni une allocation optimale des ressources.

À ce pouvoir financier, il faut opposer le pouvoir du nombre. Il faut cesser de se taire. Il faut retrouver notre indignation. Il faut exprimer, haut et fort, le type de société dans lequel nous voulons vivre. Il faut nous regrouper afin d'influencer, de déterminer la direction que doivent prendre les politiques de nos gouvernements. Le choix de société n'est pas la seule responsabilité d'un petit nombre de personnes, de groupes de revendication ou de défense des droits. C'est à chacun de nous de s'exprimer, c'est à nous de développer une solidarité sociale et d'accepter la responsabilité que nous avons tous quant aux choix se présentant à la collectivité.

Ensemble, nous pouvons nous faire entendre. Les premières revendications à faire portent sur la perception des impôts impayés, sur les taxes à la consommation (TPS et TVQ) qui ne sont pas payées, ainsi que sur l'adoption d'un impôt minimum sur les revenus des entreprises. Il faut aussi revoir la fiscalité en profondeur, à la fois les dépenses des programmes gouvernementaux et les privilèges ou abris fiscaux.

Nous sommes individuellement et collectivement

responsables du choix de la société dans laquelle nous voulons vivre. Chaque fois qu'un citoyen ou une entreprise achète sur le marché noir, et donc sans payer les taxes à la consommation, chaque fois qu'un citoyen ou une entreprise «oublient» de déclarer un revenu, chaque fois qu'un citoyen ou une entreprise utilisent les services gouvernementaux de façon frivole, ce citoyen ou cette entreprise affectent l'ensemble de la collectivité.

L'État, la collectivité et l'économie: les marges de manœuvre

Jean Charest
Économiste, CSN

Dans le cadre de ce panel, on nous demande de répondre à trois questions. L'État a-t-il encore du pouvoir dans l'économie? Une fiscalité différente est-elle possible? Peut-on encadrer le pouvoir financier? Ma réponse aux trois questions, c'est oui. Et je vais élaborer quelque peu.

L'État et l'économie

Premièrement, sur la question des pouvoirs de l'État: l'État a-t-il encore du pouvoir dans l'économie? Je pense qu'au plan économique, en particulier, l'État a encore beaucoup de pouvoir. Par les grands leviers que sont la politique monétaire, la politique fiscale et la politique budgétaire, nos gouvernements constituent encore des intervenants majeurs dans l'activité économique. Il n'y a personne d'autre dans l'activité économique québécoise ou canadienne qui ait entre ses mains une telle concentration de pouvoir économique. La principale question à se poser est plutôt: «Y a-t-il des objectifs clairs et une cohérence dans ces politiques-là?» Et c'est là qu'il n'y a pas nécessairement d'évidence actuellement. Oui, l'État a entre ses mains des leviers importants, mais pour qu'ils soient efficaces, encore faut-il que l'État ait des objectifs clairs et qu'il puisse harmoniser ces politiques ou ces outils d'une façon cohérente.

Au cours des 15 dernières années, au Canada, le seul objectif clair qui ait été mentionné et soutenu explicitement par le gouvernement fédéral en particulier, fut celui de la lutte à l'inflation. Même si l'inflation est tombée à 2% sur une base annuelle et même 0% pour la dernière année, le gouvernement continue de soutenir très clairement cet objectif de la lutte à l'inflation. Si l'on avait eu la même ténacité, au cours des dernières années, pour lutter plutôt contre les inégalités ou contre le chômage, peut-être aurait-on fait des progrès sur ces terrains-là aussi. Malheureusement, le seul objectif était la lutte à l'inflation, et on a soumis l'ensemble des autres éléments de la politique économique à celui-là. Donc, il faut d'abord définir des objectifs clairs pour articuler ensuite des politiques de façon cohérente.

En outre, l'État a aussi du pouvoir dans l'économie à cause de son leadership, de son pouvoir de direction, de ce que l'on appelle souvent son pouvoir de régulation dans l'ensemble de l'activité économique et sociale. Les interventions de l'État ne sont pas que des interventions financières. On a souvent tendance à penser, et surtout ceux qui veulent que l'État n'intervienne plus, que l'État doit intervenir à coups de centaines de millions ou de milliards de dollars, ce qui n'est pas du tout évident. Ne serait-ce que par l'identification des grands objectifs à atteindre, par exemple, nos gouvernements ont un rôle de leadership important. Ainsi, si nos gouvernements ne définissent pas eux-mêmes la question de l'emploi ou la question de la lutte aux inégalités comme étant des objectifs à atteindre, qui le fera et qui amènera l'ensemble des acteurs socio-économiques à rechercher l'atteinte de ces objectifs? Donc, en termes de définition d'objectifs, les gouvernements ont un rôle important. Je pense qu'en particulier dans les commissions régionales qui se sont tenues récemment au Québec, ce n'est pas par hasard que la demande la plus courante était l'appel à la définition d'un projet de société. Les gens ressentent le besoin d'un gouvernement qui dise: «Voilà des objectifs de société et voilà comment on va s'y prendre pour y arriver en impliquant tout le monde.»

De plus, il y a aussi des interventions législatives. Adopter une loi ou relever le salaire minimum, par exemple, n'est pas une intervention coûteuse pour l'État. Pendant plusieurs années, les gouvernements ont décidé de laisser tomber le pouvoir d'achat du salaire minimum avec les résultats qu'on connaît actuellement. Un autre exemple pourrait être de moderniser les lois du travail, changer le Code du travail, pour adapter un peu mieux le cadre légal de la durée du travail. Saviez-vous que la semaine normale de travail est toujours définie comme étant de 44 heures actuellement au Québec? Il y a des anachronismes majeurs de ce côté-là et il faut intervenir puisque les moyens législatifs existent.

Quelle fiscalité?

Voyons maintenant du côté de la fiscalité: l'État, nos États peuvent-ils définir une autre fiscalité? Eh bien, oui! La fiscalité est d'abord liée à notre conception du développement économique et social; elle est d'abord liée aux objectifs qu'on veut poursuivre. Répondre à la question «Veut-on lutter contre les inégalités, ou les maintenir, ou même les accroître?», c'est répondre en même temps à la question du choix de la fiscalité qu'on veut se donner. Ceux qui, comme moi, croient qu'on doit lutter contre les inégalités économiques et sociales sont en faveur d'une réforme de la fiscalité qui passerait par un retour à une certaine progressivité dans notre régime fiscal. Ceux qui sont plutôt d'avis que le modèle rêvé, c'est le modèle américain, proposent des réformes comme le taux d'imposition unique, comme l'économiste Pierre Fortin l'a suggéré récemment.

Tout dépend du modèle qu'on poursuit et des objectifs qu'on vise. Tout dépend de notre propension à vouloir lutter ou pas contre les inégalités, à vouloir les maintenir ou même les accroître. Veut-on redistribuer les richesses autrement qu'on le fait actuellement dans la société? Oui ou non? Ceux qui ne veulent pas redistribuer les richesses autrement disent qu'il ne faut surtout pas toucher à la fiscalité, que c'est très dangereux, très compliqué, très technique, que c'est une question de spécialistes et que, de toute façon, on ne peut plus rien faire puisque tout est dicté par les mécanismes internationaux. Alors, ne bougeons surtout pas! Évidemment, c'est la meilleure excuse pour ceux et celles qui se considèrent dans une situation confortable. Et il y en a, effectivement, un bon nombre dans notre économie, malgré les problèmes sociaux auxquels nous sommes confrontés. Des réponses qu'on va apporter à ces questions dépendra le choix d'aller vers une fiscalité plus progressive ou vers une fiscalité plus régressive, ou encore d'en rester à la fiscalité qu'on connaît actuellement, sachant par ailleurs qu'on ne règle pas tout avec le seul outil fiscal.

Que faire, face au pouvoir financier?

Troisième question: doit-on encadrer ou, plutôt, peut-on encadrer le pouvoir financier? Je pense qu'on peut effectivement encadrer le pouvoir financier et qu'on doit le faire, sans quoi on se met complètement à la merci des spéculateurs et de ceux qui vont toujours dire que les taux d'intérêts ne sont pas suffisamment élevés, qu'il y a toujours un risque dans l'économie canadienne. Il y a une dizaine d'années, les spéculateurs internationaux ne disaient pas que la dette de l'économie canadienne était problématique; elle n'était pas problématique. Ils ne disaient pas, à ce moment-là, que c'était à cause de la dette qu'il fallait payer des taux d'intérêts élevés. À l'époque, c'était à cause de l'inflation qu'il fallait, disait-on, payer des taux d'intérêts élevés. Alors, on a réglé l'inflation. Maintenant, ils disent que c'est à cause de la dette. Supposons qu'on réussisse à régler la dette demain, pensez-vous que les milieux financiers internationaux vont dire: «Bon, maintenant on est content et on peut faire tomber les taux d'intérêts à 2,5% au Canada»?

Il m'apparaît qu'il faut effectivement encadrer les pouvoirs financiers et, évidemment, cela demande davantage de coordination et de concertation de la part des différents gouvernements. On ne cachera pas le fait que le Québec, à lui seul, ne réussira pas à mater l'ensemble des milieux financiers internationaux. Même le Canada n'est pas en mesure d'y arriver. Alors il faut effectivement une coordination beaucoup plus serrée de la part des différents gouvernements des pays industrialisés, pour arriver à contrôler ou à encadrer un peu mieux les marchés financiers qu'on le fait actuellement parce que la question de la mobilité du capital est vraiment une réalité de plus en plus omniprésente.

Malgré la taille relativement restreinte de l'économie québécoise ou canadienne face aux marchés financiers, je pense que nous avons aussi un rôle à jouer comme petite économie. On pourrait commencer ici même par une autre politique monétaire que celle qui est mise de l'avant. La politique monétaire pratiquée au Canada depuis déjà une quinzaine d'années est entièrement complaisante à l'égard des marchés financiers. Évidemment, si le gouverneur de la Banque du Canada et le gouvernement central eux-mêmes ne changent pas l'orientation de la politique monétaire avec les taux d'intérêts qu'on connaît sur lesquels ils ont une prise au moins partielle, alors on ne lance pas un gros message aux marchés financiers internationaux.

On pourrait dire la même chose en ce qui concerne la politique de financement de notre dette. Si on recourait un peu moins aux marchés financiers extérieurs pour financer notre dette, peut-être nos gouvernements se mettraient-ils un peu moins à la merci de ces marchés. Le gouvernement du Québec, en particulier, a recouru d'une façon très importante aux marchés extérieurs au cours des 15 dernières années, en disant que les taux d'intérêts étaient moins élevés là-bas qu'ici. Ainsi, il a financé la dette québécoise en puisant davantage à l'étranger qu'ici. Le problème est que cela nous a placés dans une situation de dépendance à l'égard de ces marchés extérieurs. Donc, même si l'encadrement des pouvoirs financiers demande une plus grande concertation de la part des différents gouvernements des pays industrialisés, ici même, nos gouvernements ont du pouvoir pour encadrer ces marchés financiers, en commençant par la politique monétaire et par la politique de financement de la dette. Nous ne sommes pas complètement dépourvus. Le pouvoir de la collectivité a encore un sens et un avenir. Et ce pouvoir ne se résume pas à celui de l'État.

Les coupures:
seule voie du déficit zéro?

Groupe de théologie contextuelle québécoise[1]

On n'a pas le choix?

On nous dit que dans un contexte de concurrence mondiale, il faut être « réalistes » et accepter la précarité d'emploi, la baisse des salaires et la réduction des budgets sociaux, mais saviez-vous que cette obligation de compétitionner tous azimuts n'est pas tombée du ciel? Ce sont nos gouvernements qui, sous la pression des gens d'affaires, ont changé les règles du jeu et ouvert les frontières économiques. Sous de fausses promesses, ils nous ont livrés à la férocité du libre

---

1. Le Groupe de théologie contextuelle québécoise est formé d'une vingtaine de chrétiens et de chrétiennes impliqués à un titre ou un autre dans le mouvement social dans la région de Montréal. Le Comité de rédaction de ce document était formé de: Michel Beaudin, Johanne Bérard, Patrice Perreault et Pierre Charland.

marché. Clayton Yeutter, représentant commercial des États-Unis, disait après la signature de l'accord de libre-échange en 1987: «The Canadians don't understand what they have signed. In 20 years, they will be sucked into the U.S. economy[2].» (*Toronto Star*)

On nous dit que pour réduire le déficit, il faut couper surtout dans les programmes sociaux, mais saviez-vous que depuis 1975, ces programmes ne représentent que 3% de l'accroissement de la dette au Canada contre 3% pour les autres services, 50% pour la hausse des taux d'intérêt et 44% pour les abris fiscaux[3]?

On nous dit que nous avons vécu au-dessus de nos moyens et que tous doivent faire des sacrifices pour rétablir l'équilibre budgétaire, mais saviez-vous *(1)* que les déficits publics accumulés dans les années 1970 et 1980 résultaient d'emprunts qui visaient d'abord à soutenir les entreprises et l'économie? *(2)* qu'en 1992-1993, la part du revenu de l'État québécois provenant des entreprises s'élevait à 17,8% contre 71,1% (impôt et taxes à la consommation) provenant des particuliers? *(3)* qu'au fédéral, de 1961 à 1995, la part provenant des entreprises est tombée de 23% à 9%? Les transferts vers les provinces et les déficits en ont souffert d'autant.

On nous dit que, si on se «serre la ceinture» maintenant, ça ira mieux après, mais saviez-vous que dans une économie de concurrence mondiale sans protection, chaque population devra toujours s'ajus-

---

2. Propos rapportés par Bob HEPBURN du *Toronto Star*, cité dans *Free Trade Action Dossier*, 6, 26 novembre 1987.
3. Statistiques Canada, 1991.

ter aux conditions plus avantageuses offertes quelque part ailleurs aux entreprises, et que la détérioration des conditions de travail et les coupures ne finiront jamais si on ne s'en remet qu'au marché?

Jusqu'où les gouvernants et les milieux d'affaires ne misent-ils pas sur de vieux réflexes chrétiens de sacrifice de soi, de confiance à la divine Providence et d'obéissance à toute autorité, pour nous arracher une soumission aux lois du marché, présentées comme une fatalité inéluctable?

Accepter que le marché choisisse à notre place, cela veut dire:

— accepter d'entrer en guerre économique contre tous les autres peuples et entre nous;

— accepter que nos ressources soient mises au service des seuls plus performants;

— accepter qu'une population, une ville, et même une région n'aient le droit de vivre que si elles sont rentables;

— accepter que la croissance économique aille de pair avec un chômage «normal» de 12% et avec un appauvrissement continu;

— accepter que les citoyens les plus vulnérables (vieillards, chômeurs, malades, handicapés, assistés sociaux, etc.) soient peu à peu vus comme des «inutiles» et des fardeaux à éliminer;

— accepter que la poursuite de la «santé» financière rende les personnes et la société malades;

— accepter de fermer l'avenir aux jeunes et de les désespérer;

- accepter que le marché gouverne, que le gouvernement soit son sous-traitant, et que la démocratie fiche le camp;
- accepter que la société ne soit plus qu'un marché, qu'une simple affaire de gagnants et de perdants;

cela veut dire qu'on accepte d'être à jamais des esclaves!

Si vous refusez cette option comme la seule possible, continuez...

Oui, nous avons d'autres choix!

L'esclavage n'est pas une fatalité et il n'est pas éternel. Nous avons le choix de refuser que l'économie ne serve qu'à sacrifier indéfiniment des personnes au dieu Marché, derrière lequel se cachent une minorité de financiers et de décideurs. Nous avons le choix de refuser que le gouvernement, élu pour le bien commun, ne devienne qu'un maître de corvée livrant main-d'œuvre et richesse collective à des intérêts privés. Nous avons le choix de refuser une société où il n'y ait de place que pour les gagnants.

Autre chose est possible! L'économie pourrait être mise au service des besoins de tous, l'État pourrait redevenir le bras politique de la volonté des citoyens, la société pourrait devenir un endroit où il fait bon vivre. Tout ne changera pas du jour au lendemain. Mais nous pouvons prendre cette nouvelle route dès aujourd'hui.

Pour que le récent sommet socio-économique ne débouche pas seulement sur un «sommet» de croissance économique combiné à un «creux» social, nous devons adopter de nouvelles mesures et attitudes qui déblaient des passages vers un autre Québec.

Économie

Nous avons le choix que nos impôts cessent d'assister socialement et sans condition les grandes entreprises qui profitent de ces fonds pour « rationaliser », faire des mises à pied massives et empocher des profits records. Que, désormais, les subventions et concessions fiscales consenties aux entreprises soient strictement conditionnelles à une obligation de leur part de créer des emplois de qualité.

Nous avons le choix de taxer les transactions financières et boursières. D'autres peuples ont aussi proposé cette mesure à l'échelle internationale. Quand les marchés financiers paniquent à l'annonce d'une amélioration de l'emploi, il faut les ramener à la raison.

Nous avons le choix d'exiger des entrepreneurs, que la collectivité québécoise soutient depuis 30 ans, qu'ils s'engagent publiquement à créer des emplois ici.

Gouvernement

Nous avons le choix que notre gouvernement diminue le déficit non d'abord sur le dos des plus pauvres et par une réduction des dépenses sociales déjà fortement comprimées, mais par une augmentation de ses revenus via une fiscalité plus juste: réduction du plafond des REER, abolition des abris fiscaux injustifiables tels les fiducies familiales, impôt sur les successions et sur les gains de casinos et loteries, surtaxe sur les profits excessifs, tels ceux des banques, etc.

Nous avons le choix de réduire la durée de la semaine de travail pour mieux répartir l'emploi.

Nous avons le choix que notre gouvernement fasse des pressions auprès de la Banque du Canada pour garder les taux d'intérêt bas, de manière à stimuler l'économie et à diminuer le coût des emprunts publics.

Nous avons le choix de remettre en question la légitimité et la moralité de la dette quand celle-ci empêche la collectivité de profiter socialement de la richesse qu'elle a produite. Nos dépenses courantes ne dépassent pas les revenus. Nous ne vivons pas au-dessus de nos moyens. Depuis plusieurs années, le déficit tient au paiement des intérêts d'une dette qui exige toujours de nouveaux emprunts... Au total, une minorité d'investisseurs auront été remboursés plusieurs fois.

Société

Nous avons le choix et la responsabilité d'exiger que les fonds administrés en notre nom (REER, caisses de retraite, épargne...) soient prioritairement investis ici plutôt qu'à l'étranger et n'obéissent pas à la seule règle du rendement maximal à tout prix sans autre considération.

Nous avons le choix de favoriser les initiatives économiques de type coopératif.

Nous avons le choix de développer une mentalité et des pratiques de solidarité, un « Nous » social capable de reprendre le contrôle économique et politique de notre vie collective.

Nous avons le choix de mettre le gouvernement au défi d'admettre publiquement que l'économie néolibérale ne marche pas, que l'*economically correct* n'est pas *socially correct*, et qu'il nous faut donc chercher un autre chemin.

Oui, il y a d'autres «façons de gouverner» et d'être une «société distincte»!

4

Les ficelles internationales

Qui se cache derrière ces marchés qui contrôlent l'économie et la démocratie?

Développement et Paix

Dans le monde actuel, il y a autant de marchés que de produits à vendre ou à acheter. Ces marchés accaparent de plus en plus les pouvoirs économiques des États et certains de ces marchés préfèrent une économie plutôt faible. C'est le cas du très puissant marché des obligations. Les lignes suivantes[1] proviennent du *New York Times*, un des journaux les plus respectés par les milieux d'affaires.

Il y a actuellement beaucoup de gens qui préfèrent une économie faible. Préférer une économie faible? Qui peut vouloir cela? Voici donc cette

---

1. Louis UCHITELLE, «Why America won't boom. The Boundholders are Winning», *The New York Times*, 12 juin 1994, traduction libre de l'auteur.

mystérieuse et légèrement sinistre entité, le Marché des Obligations, la force prééminente de l'économie d'aujourd'hui. Plus que tout autre groupe, les intervenants du marché des obligations déterminent combien d'Américains auront des emplois, s'ils pourront acheter une maison ou une voiture, ou encore, si une usine devra mettre à pied des travailleurs.

En somme, l'économie américaine est gouvernée par le marché des obligations, une vague confédération composée de riches Américains, de banquiers, de financiers, de gérants de portefeuilles, de riches étrangers, de dirigeants de compagnies d'assurance, de présidents d'universités et de fondations, de retraités et de gens qui gardaient autrefois leur argent dans des comptes d'épargne (ou sous leur matelas), mais qui achètent maintenant des parts dans des fonds mutuels. Même si certains d'entre eux refuseraient de se faire qualifier d'ennemis de la croissance, le fait est que cette confédération a décrété au cours des derniers mois que l'économie devait perdre de la vigueur au lieu d'en gagner.

«Les intervenants du marché des obligations nous font un monologue dont le message est le suivant: comprimez l'économie», dit un haut fonctionnaire du gouvernement. «Ils veulent l'économie la plus faible qu'ils puissent avoir, mais sans qu'elle soit faible au point que les prêts ne puissent être remboursés.»

Voici comment et pourquoi le marché obligataire agit ainsi. Une obligation est en quelque sorte un bout de papier sur lequel un gouvernement ou une compagnie s'engage à rembourser un montant, avec des intérêts, à l'acheteur de l'obligation. Par exemple: 1000$ dans un an, avec des intérêts de 10% par année. Le taux d'intérêt est le profit que réalise l'acheteur de l'obligation. Si l'inflation (la hausse du coût de la vie) augmente de 11% pendant l'année, l'acheteur n'aura pas fait un bon placement: il aura même perdu 1% de son pouvoir d'achat.

Le marché des obligations est extrêmement puissant: il contrôle *10 000 milliards* de dollars US aux États-Unis. Et ce marché craint par-dessus tout qu'une hausse de l'inflation ne gruge la valeur des obligations. Il craint qu'une baisse du chômage ne mette les travailleurs en position de demander des hausses salariales et d'acheter de nouveaux produits, ce qui fera augmenter le prix de ces produits, ce qui fera renaître l'inflation. Comme le marché obligataire est en mesure d'influencer les taux d'intérêts, il pousse ceux-ci à la hausse. Il en coûte plus cher pour emprunter, autant pour les entreprises que pour les particuliers, et l'économie ralentit. Mais les obligations, elles, sont assurées de conserver leur valeur, ce qui fait l'affaire du marché.

En plus du marché des obligations, il en existe d'autres, comme celui des matières premières, qui déterminent le sort des économies. Les pays du Sud sont souvent très dépendants d'un petit nombre de matières premières (la Zambie et le cuivre, la Bolivie et l'étain, l'Ouganda et le café...). Ce ne sont pas les solutions qui manquent pour stabiliser l'économie: revenir à des taux de change fixes, abaisser les taux d'intérêt, imposer des taxes sur les transactions... plusieurs possibilités existent pour refroidir les ardeurs des spéculateurs et ramener plus de stabilité sur les marchés.

*
* *

Il existe des marchés pour tout ce qui s'achète et se vend, que ce soit le pétrole, le thé ou même l'argent. Ces marchés peuvent renforcer ou affaiblir l'économie de n'importe quel pays du mode. Le mécanisme des marchés peut améliorer la productivité et l'efficacité, mais il ne fait rien pour partager la richesse et il affecte même de manière négative les pauvres. Les solutions ne manquent pas pour faire en sorte que les marchés fonctionnent dans l'intérêt de tous. Il faut y sensibiliser nos gouvernements.

Le Fonds monétaire international (FMI), la Banque mondiale et ceux qui les contrôlent

Développement et Paix

Qu'est-ce que le Fonds monétaire international?

On lit dans les statuts du FMI les objectifs suivants: *(1)* promouvoir la coopération monétaire internationale, *(2)* faciliter l'expansion du commerce international et *(3)* promouvoir la stabilité des changes.

Le FMI assume deux fonctions importantes. *(1)* Il conseille les pays membres au sujet de leurs politiques économiques. Par exemple, il a conseillé à plusieurs reprises au gouvernement canadien de réduire son déficit. Il a aussi félicité l'ancien gouvernement Mulroney pour l'instauration de la TPS et les modifications au régime d'assurance-chômage, néfastes pour les chômeurs[1]. Les politiciens d'Ottawa

---

1. Extrait du rapport annuel 1992 du FMI, en page 27: «Les administrateurs ont félicité le Canada pour les importantes réfor-

accordent beaucoup d'importance à l'opinion du FMI sur la situation canadienne. Le FMI ne nous impose pas de programme d'ajustement structurel; ce sont nos gouvernements qui le font.

(2) Il fournit de l'aide financière conditionnelle aux pays membres qui éprouvent des problèmes de balance des paiements (l'argent qui sort du pays par rapport à l'argent qui y entre) afin que celle-ci retrouve son équilibre. Les pays du Sud, aux prises avec de sérieux problèmes de dette, ont dû adopter des réformes économiques radicales pour obtenir l'aide du Fonds. Sans ces programmes d'ajustement structurel, qui affectent beaucoup les femmes et les enfants des couches les plus pauvres de la société, ces pays auraient été incapables d'obtenir des prêts du FMI ou de toute autre source.

Depuis 1985, le FMI coordonne la politique monétaire du G-7, le groupe des sept pays qu'on dit les plus industrialisés (États-Unis, Canada, France, Allemagne, Grande-Bretagne, Italie, Japon). Il supervise aussi l'effort de reconstruction des économies de l'ancienne URSS.

Le FMI emploie 2000 personnes, en grande partie des économistes. Encore plus que la Banque mondiale, il fait l'objet de nombreuses critiques pour son manque d'accès à l'information.

---

mes structurelles qu'il avait décidé d'opérer, notamment l'institution de la taxe sur les produits et services, la proposition d'éliminer les barrières interprovinciales aux flux de facteurs, de biens et de services, ainsi que la modification du système d'assurance-chômage. Plusieurs administrateurs ont mentionné la nécessité de réformer davantage ce système, de même que le marché de l'emploi, afin de contribuer à abaisser le chômage et à modérer les pressions salariales.»

Le Fonds monétaire international compte 178 pays membres. Les pays membres de l'OCDE (l'Organisation de coopération et de développement économiques, un regroupement de 24 pays industrialisés) contrôlent 65% des votes au FMI. «En fin de compte», soutient l'Institut Nord-Sud, un organisme de recherche indépendant basé à Ottawa, «ce sont les pays de l'OCDE qui décident des politiques du FMI et déterminent ses positions envers les pays en développement[2].»

Dans le passé, les États-Unis ont utilisé le Fonds (et la Banque mondiale) pour leurs fins politiques. «Le FMI s'est alors vu forcé d'accorder des financements, en fait sans condition, à des gouvernements ayant prouvé leur mauvaise gestion économique (comme les Philippines sous Marcos, le Soudan sous Nemeiri et le Zaïre sous Mobutu[3])...»

Le FMI est une structure qui échappe largement au contrôle des pays du Sud, mais avec laquelle ils doivent faire affaire. Ses orientations et ses programmes ne correspondent pas aux besoins pressants des populations les plus pauvres.

Qu'est-ce que la Banque mondiale?

L'expression «Banque mondiale» regroupe plusieurs entités, mais elle fait référence généralement à la Banque internationale pour la reconstruction et le

---

2. Tony KILLICK, *Le FMI vient-il vraiment en aide aux pays en développement?* Ottawa, Institut Nord-Sud, coll. «Synthèse», 1993, p. 1.

3. *Ibid.*, p. 4.

développement (BIRD) et à l'Association internationale de développement (IDA)[4]. La Banque mondiale emploie 7100 personnes et occupe 15 édifices à Washington. L'ensemble de ses prêts atteint 24 milliards de dollars US par année[5].

Au lendemain de la Deuxième Guerre mondiale, la Banque avait comme première tâche de reconstruire l'Europe et le Japon et de promouvoir le développement économique. Aujourd'hui, elle finance des projets de développement et des programmes d'ajustement structurel. Sa cote de crédit AAA lui permet d'emprunter à bon compte sur les marchés financiers et de prêter à des taux inférieurs à ce que les pays du Sud pourraient obtenir eux-mêmes des marchés financiers.

La Banque mondiale a recours à l'IDA pour accorder des prêts à des conditions plus souples aux pays les plus pauvres (taux d'intérêts très faibles et longue période de remboursement). Ses fonds proviennent des souscriptions des pays développés et des transferts des revenus nets de la BIRD. La BIRD et l'IDA ont le même personnel et les mêmes gouverneurs.

Il faut distinguer deux aspects des prêts consentis par la BIRD: ceux liés à l'ajustement structurel et ceux liés à des projets de développement. Depuis les années 1980, la Banque accorde des prêts pour l'ajus-

---

4. La Société financière internationale (SFI); le Centre international pour le règlement des différends relatifs aux investissements (CIRDI); et l'Agence multilatérale des investissements (AGMI) sont les autres membres de ce groupe.
5. Banque mondiale, *Rapport annuel 1993*.

tement structurel (qui représentait 17% du volume de ses prêts en 1993)[6]. Elle est très critiquée à ce sujet.

La Banque mondiale finance des projets comme des écoles et des hôpitaux, mais certains autres, en particulier les barrages hydroélectriques, lui ont donné mauvaise réputation. En 1992, la Banque a dû reconnaître de graves erreurs dans sa façon de gérer un projet amorcé plusieurs années auparavant, le barrage de Sardar Sarovar, sur la rivière Narmada, en Inde. Le barrage devait fournir de l'eau potable à trois États, mais il forçait aussi le déplacement de centaines de milliers de personnes.

Des centaines de groupes, en Inde et à travers le monde, ont combattu ce projet; 867 d'entre eux ont signé des annonces publicitaires pleine page dans le *New York Times* et le *Financial Times* de Londres. La Banque mondiale a cédé et commandé une étude à une commission indépendante. Celle-ci a conclu que la Banque n'avait pas suivi *ses propres lignes de conduite* concernant l'impact sur l'environnement et la réinstallation des populations déplacées. Plus grave encore, l'étude a découvert que ces constatations n'étaient pas nouvelles, car elles apparaissaient dans des rapports internes depuis près de dix ans. Suite à ce rapport, la Banque a mis fin à son financement. Malheureusement, le gouvernement indien, lui, n'a pas renoncé au projet.

En 1992, un autre document interne, le Rapport Wapenhans — du nom d'un ancien vice-président de la Banque mondiale — a révélé les problèmes de fonc-

---

6. *Ibid.*

185

tionnement général de la Banque. D'une part, le tiers des projets de la Banque ne fournissaient pas le rendement attendu. D'autre part, on a appris que le personnel, dans une perspective de promotion personnelle, accordait plus d'importance à la *quantité* de prêts accordés qu'à leur qualité ou à leur suivi. L'une des conclusions les plus saisissantes du rapport a été que les projets de la Banque mondiale donnaient leurs pires résultats dans les pays les plus pauvres[7].

Pour une institution de développement qui prétend montrer aux pays du Sud à gérer correctement leurs affaires, ces reproches étaient plutôt gênants et ils montrent à quel point l'opinion et la participation des populations touchées par les projets de la Banque ont pu être complètement négligées pendant de nombreuses années, dans des milliers de projets.

La Banque mondiale est la plus grande institution de développement au monde, mais elle est aussi une énorme bureaucratie liée de près aux pays du Nord. La participation des personnes affectées par ses programmes ne fait pas encore partie de ses pratiques courantes.

Qui se cache derrière le FMI et la Banque mondiale?

Le Fonds monétaire international et la Banque mondiale ont été fondés par les États-Unis et leurs Alliés (dont le Canada) en 1944, à Bretton Woods, dans le New Hampshire. Les fondateurs voulaient surtout

---

7. Roy CULPEPER, *Le Canada et les gouverneuses du globe*, Institut Nord-Sud, 1994, p. 35.

promouvoir la stabilité des monnaies, faciliter l'expansion du commerce international (le rôle du FMI) et reconstruire les économies européennes une fois la guerre finie (le rôle de la Banque mondiale). Aujourd'hui, les bureaux de ces deux institutions financières internationales (IFI), les plus puissantes au monde, sont situés l'un en face de l'autre, à Washington, à deux rues de la Maison-Blanche.

La Banque mondiale et le FMI comptent chacun plus de 175 pays membres. Pour faire partie de la Banque mondiale, il faut déjà faire partie du FMI. Ils ont des structures presque identiques. La Banque et le Fonds sont tous deux dirigés par un *Conseil des gouverneurs*, chaque gouverneur étant généralement le ministre des finances de chacun des pays membres. Les gouverneurs s'occupent des grandes questions et se réunissent une fois l'an, à l'automne, lors de l'assemblée annuelle conjointe du FMI et de la Banque mondiale.

L'autre structure est celle du *Conseil d'administration*: 24 membres, nommés par des pays individuellement ou par des groupes de pays. Exemple: le Canada nomme son propre administrateur au FMI, (actuellement M. Douglas Smee) qui représente aussi onze autres pays, dont l'Irlande et la plupart des nations anglophones des Caraïbes.

Parce que les votes correspondent aux sommes engagées, les pays riches, spécialement les États-Unis, exercent une grande influence sur la Banque et le Fonds[8]. Par tradition, le président de la Banque est

---

8. Alors qu'à l'Assemblée générale des Nations Unies, chaque pays a droit à un vote.

toujours un Américain (actuellement M. Lewis Preston, un ancien banquier), choisi par la Maison-Blanche, et le directeur général du FMI est toujours un Européen (actuellement M. Michel Camdessus, de la France).

La Banque mondiale ne peut fonctionner uniquement avec les cotisations des pays membres. Elle emprunte donc des milliards de dollars sur les marchés financiers (11 milliards US en 1992) pour prêter aux pays du Sud. La Banque émet des obligations qu'achètent des fonds de pension, des compagnies d'assurance, des entreprises, des banques et des individus — sans le savoir, vous prêtez peut-être des fonds à la Banque mondiale... La cote de crédit de la Banque et du FMI est AAA, la meilleure.

Quant au FMI, la plus grosse partie de ses fonds provient des cotisations des membres. Il possède aussi une marge de crédit d'environ 22 milliards de dollars US auprès d'un certain nombre de gouvernements et de banques du monde entier. La Banque mondiale et le FMI entretiennent donc des liens très étroits avec les milieux financiers. Leurs cotes de crédit en dépendent.

Tout cela permet d'imaginer à quel point ces deux institutions, dans leur façon de voir le monde, sont éloignées de la grande masse des personnes à qui elles sont censées venir en aide, et combien l'idée de faire participer ces dernières aux décisions peut leur sembler incommodante.

Ce n'est pas demain que nous verrons un Zimbabwéen ou une Indonésienne à la tête de la Banque mondiale ou du FMI! Les populations du Sud ont peu de moyens de se faire entendre de ces deux institutions, surtout que les gouvernements qui les représentent ne sont pas toujours à l'écoute de leur propre population. La solidarité des peuples du Nord et du Sud prend donc ici toute son importance.

Le Canada, la Banque mondiale et le FMI

Développement et Paix

Il existe trois raisons pour lesquelles le Canada participe aux institutions financières internationales: l'aide au développement, la politique étrangère et le commerce.

La quote-part du Canada dans le Fonds monétaire international est de 7,8 milliards $. Cela ne signifie pas qu'il a versé ou versera ce montant d'argent au FMI, bien qu'une somme de 25 millions $ soit déjà prévue en 1994-1995. Il conserve le gros de sa souscription en réserve et ne la paie qu'à la demande du Fonds[1].

---

1. Vingt-cinq pour cent de la quote-part peut être retiré sur demande par le Canada s'il connaît des problèmes de balance des paiements. De fait, le Canada a recouru à ce moyen à deux reprises dans les années 1960. Comme des intérêts sont perçus sur ces réserves au FMI, la cotisation du Canada au Fonds est considérée comme un investissement et n'a pas d'effet sur le déficit fédéral.

Nos engagements à la Banque mondiale sont de 261 millions $ en 1994-1995. Les compagnies canadiennes sont les premières à profiter de notre implication dans la Banque. De 1988 à 1993, le Canada a décroché 1,08$ (en achats de biens et services par la Banque) pour chaque dollar comptant versé à la Banque mondiale[2].

Les votes du Canada à ces deux institutions correspondent aux sommes qu'il y souscrit. Comme le Canada représente aussi d'autres pays[3], il contrôle ainsi 4,6% des votes à la Banque et 3,6% au FMI[4].

Le Canada nomme ses propres représentants aux conseils d'administration de la Banque mondiale et du FMI[5]. Ceux-ci rendent des comptes au Ministère des Finances[6]. Les représentants canadiens ne comparaissent pratiquement jamais devant des comités

---

Tiré de: Tony KILLICK, *Le FMI vient-il vraiment en aide aux pays en développement?*, Institut Nord-Sud, coll. «Synthèse», 1993.

2. Marie-Josée Godbout, «La Banque mondiale, un Robin des bois planétaire», *La Presse*, 8 avril 1994. Note: il est intéressant aussi de savoir que pour le programme bilatéral de l'Aide publique au développement du Canada (APD), chaque dollar versé aux pays du Sud a rapporté chez nous 0,75$ en achats de biens et de services aux entreprises canadiennes. Tiré de: Roy CULPEPER, *Le Canada et les «gouverneuses» du globe*, L'Institut Nord-Sud, 1994, p. 19.

3. L'Irlande et la plupart des pays anglophones des Caraïbes.

4. Dix-neuvième rapport du Comité permanent des Finances, premier rapport du Sous-comité sur les institutions financières internationales, Chambre des Communes, juin 1993.

5. L'ex-ministre conservateur, Robert de Cotret, à la Banque mondiale; et Douglas Smee au FMI.

6. D'après l'Institut Nord-Sud, le membre canadien du conseil d'administration de la Banque mondiale, qui est une institution de développement, devrait plutôt relever de l'Agence canadienne de développement international (ACDI).

parlementaires. En somme, ils n'ont de comptes à rendre ni au Parlement, ni au public. Les informations qu'ils fournissent sont presque uniquement pour des hauts fonctionnaires et des ministres et elles ne s'adressent que dans une mesure limitée aux parlementaires.

Développement et Paix et plusieurs autres groupes et organisations[7] demandent que les représentants canadiens témoignent de façon régulière devant des comités parlementaires, cela afin d'évaluer le rôle du Canada et les actions de ces organisations. À Ottawa, le Vérificateur général du Canada[8] et un groupe de parlementaires, le Sous-comité sur les institutions financières internationales[9], ont aussi suggéré au gouvernement «d'améliorer la transparence et l'obligation de rendre compte des Institutions financières internationales (IFI) au Parlement».

Le Vérificateur général, tout comme le Sous-comité, estime que le Canada devrait évaluer sa participation aux IFI. Il ne l'a jamais fait en cinquante ans. Cette révision pourrait aussi permettre d'évaluer l'impact de ces institutions sur la pauvreté croissante dans le monde.

---

7. Dont l'Institut Nord-Sud et la Coalition inter-Églises pour l'Afrique.

8. Rapport 1992 du Bureau du Vérificateur général du Canada.

9. Dix-neuvième rapport du Comité permanent des Finances, premier rapport du Sous-comité sur les institutions financières internationales, Chambre des communes, juin 1993.

5

Reprendre
l'initiative

La hausse des taux d'intérêt et l'inflation[1]

Gregory Baum

Théologien et sociologue

Quelle explication donne le gouvernement quand il demande à la Banque du Canada de hausser les taux d'intérêt? Cette question nous concerne tous parce que hausser les taux d'intérêt produit du chômage et ainsi augmente la pauvreté. En effet, la hausse des taux d'intérêt, en rendant plus cher le loyer de l'argent, ralentit l'économie: elle empêche l'expansion des industries, retarde de nouvelles constructions et crée des conditions économiques qui entraînent des pertes d'emplois.

---

1. Cet article d'un ancien membre du Comité organisateur des *Journées sociales* a d'abord paru dans *L'Église canadienne*, vol. 28, n° 9, octobre 1995, p. 324-325.

Mais augmenter le chômage est une chose grave. Dans plusieurs de leurs lettres pastorales, nos évêques nous ont montré que les pertes d'emplois ne nuisent pas seulement à la vie économique des gens, mais font du tort aussi à leur vie personnelle, à leur valorisation et à leurs relations humaines. À la longue, le chômage fait du tort à la famille et à la communauté. Ce processus de déclin nous est bien expliqué dans la brochure *Vaincre le chômage et la pauvreté, un choix politique*, publiée récemment par l'Organisation catholique canadienne pour le Développement et la Paix.

Or le gouvernement nous dit que, malgré ses effets pervers, la hausse du taux d'intérêt est nécessaire pour empêcher l'inflation qui menace notre économie.

Analyse critique

Dans une telle situation, l'éthique chrétienne exige que nous examinions si une hausse des taux d'intérêt est vraiment nécessaire. La théorie néo-libérale, prédominante dans nos universités, répond avec un «oui» fort à cette question. Cette réponse est répétée par la plupart de nos médias et de nos hommes politiques. Mais l'argumentation qu'elle propose ne convainc aucunement les économistes critiques — les «hérétiques», si vous voulez — qui offrent une autre interprétation de la situation actuelle. Que disent ces économistes critiques?

Ils affirment, premièrement, qu'il n'y a pas beaucoup d'évidence que nous soyons menacés par une

198

inflation. Les prix montent lentement, c'est vrai, mais il n'y a aucun signe qu'ils vont grimper dans l'avenir. Deuxièmement, il n'est pas sûr du tout qu'une inflation inquiétante, si elle arrivait, serait nécessairement créée par la suractivité de l'économie. Une inflation peut être causée par un gouvernement qui imprime trop de billets de banque pour financer une guerre, comme les États-Unis pendant la guerre au Viêtnam. Ou bien, une inflation peut être produite par un petit groupe de grandes compagnies qui dominent le marché (les compagnies d'automobiles, par exemple) et qui conspirent pour hausser les prix de leurs produits au-dessus de la valeur marchande. C'est illégal, mais cela arrive.

Nous nous souvenons que, dans le passé, le gouvernement canadien — et bien d'autres gouvernements — a cherché à maîtriser une inflation menaçante en imposant un blocage des prix et des salaires. C'était une mesure à laquelle les ouvriers et leurs partis politiques se sont toujours opposés. Ceux-ci expliquaient qu'ils accepteraient volontiers le contrôle des prix et des salaires s'il était accompagné du contrôle des profits. Cela aurait été une juste solution, faisant plaisir aux moralistes, mais comme beaucoup d'autres justes solutions, elle ne s'est jamais réalisée.

Cette brève analyse montre déjà que l'explication à propos de la hausse des taux d'intérêt que nous donnent le gouvernement, la presse et les économistes orthodoxes n'est pas très convaincante. Cela nous inquiète.

Les vraies raisons

Il importe de nous demander s'il n'y a pas d'autres raisons pour lesquelles un gouvernement déciderait de hausser les taux d'intérêt, tout en sachant que cela crée du chômage. La réponse est oui, et il y en a même plusieurs. Le taux d'intérêt est une arme politique par laquelle le gouvernement cherche à protéger les intérêts financiers de son pays.

Nous vivons dans une situation inédite créée par la mondialisation de l'économie capitaliste où les gouvernements nationaux ne sont presque plus capables d'appuyer l'économie de leur pays et de sauvegarder le bien-être matériel de leur peuple. On peut même dire que l'économie nationale comme telle n'existe plus: le libre-échange l'a intégrée dans une économie nord-américaine qui est déterminée par les lois du marché et par les règles établies par les institutions financières internationales, comme la Banque mondiale et le Fonds monétaire international.

Dans une telle situation, un gouvernement comme celui du Canada, affaibli dans sa fonction, vit dans la crainte. Il a peur de la fuite du capital. Dans l'économie globale d'aujourd'hui, les capitalistes sont prêts à retirer leurs investissements dans les industries canadiennes et à les réinvestir dans d'autres pays si cela augmente leur profit. Pour garder ces ressources financières au Canada et pour attirer de nouveaux investisseurs, le gouvernement demande à la Banque du Canada de hausser les taux d'intérêt.

Liée à cette première peur, il y en a une autre. Si les actionnaires internationaux perdent confiance dans le Canada et le regardent comme un pays où ils ne peuvent plus s'enrichir, la valeur de notre dollar tombera sur les marchés financiers. Cette situation rend alors le pays vulnérable. Si notre dollar est un peu au-dessous du dollar américain, les produits que nous exportons deviennent moins chers et cela nous est utile. Mais si notre dollar tombe trop bas, les compagnies internationales peuvent acheter à bon marché nos terres et nos ressources naturelles. Afin d'éviter cette vulnérabilité, le gouvernement demande une hausse des taux d'intérêt pour appuyer notre dollar.

Le gouvernement se rend bien compte que la hausse des taux d'intérêt crée du chômage et fait augmenter la misère dans le pays. Mais il se croit forcé par les marchés internationaux d'y consentir. Il estime qu'il n'y a pas d'autre solution. Car pour lui, avouer en public les vraies causes de son action serait un geste déloyal à l'égard des grandes compagnies et provoquerait une critique aiguë du capitalisme néo-libéral. Aussi, le gouvernement n'ose pas le faire. Sa crainte, en le faisant, serait d'être puni par les grandes puissances financières, et la situation économique du pays se détériorerait. Ainsi le gouvernement préfère expliquer la hausse du taux d'intérêt par le pieux mensonge que l'inflation est inquiétante et doit être maîtrisée.

Application éthique

Quelle est la réaction du moraliste devant cette situation? S'il est vrai que le gouvernement doit obéir aux marchés internationaux et qu'il n'y a point de solution de rechange, la hausse des taux d'intérêt n'est pas un

« péché », même si elle a comme conséquence l'augmentation du chômage. Nous disions en latin: *Ad impossibile nemo tenetur*, à l'impossible, nul n'est tenu.

Mais la grande question demeure: n'y a-t-il vraiment pas d'autres solutions? C'est un sujet, il faut le dire tout de suite, qui est évité par la grande majorité des économistes, par les hommes politiques et par les médias. Ce qui domine actuellement dans notre culture, c'est une espèce d'orthodoxie qui ne permet pas une discussion ouverte des démarches économiques alternatives. Quand, dans leurs lettres pastorales, nos évêques encouragent les scientifiques et les politiciens à chercher d'autres solutions, on les traite comme des enfants ou des imbéciles. Pourtant, ce n'est pas la destinée des peuples de rester prisonniers des marchés internationaux.

La fiscalité et l'éthique[1]

Guy Paiement

Centre Saint-Pierre

La nécessité d'une réforme de la fiscalité est à l'ordre du jour. Nombre de personnes trouvent qu'elles paient trop d'impôts. Parmi elles, certaines en veulent à tous ces gens qui reçoivent un chèque du gouvernement. Plusieurs pointent aussi du doigt ceux et celles qui travaillent au noir et ne paient pas leur part d'impôt, qu'il s'agisse de personnes assistées sociales ou d'entrepreneurs astucieux. D'autres voudraient même supprimer les services sociaux et remettre aux individus le soin de se protéger ou de s'assurer contre les mauvais coups du sort ou de la maladie. Somme toute, le contrat social qui, hier encore, liait les différents citoyens et citoyennes est déchiré. La solidarité fiscale ne va plus de soi. Tel est bien, en définitive, ce

---

1. Cet article d'un membre du Comité organisateur des *Journées sociales* a d'abord paru dans *L'Église canadienne*, vol. 29, n° 2, février 1996, p. 60-61.

qui s'agite derrière cette revendication d'une autre fiscalité.

Pour participer au débat, on peut certes rappeler certains grands principes éthiques traditionnels. Plus d'un reconnaît encore l'obligation de payer ses impôts comme étant une forme normale de vivre la justice en société. D'autres continuent encore de croire qu'il faut permettre à l'État d'avoir les moyens de redistribuer les richesses et d'aider les plus pauvres. Mais le problème est ailleurs. Il se trouve dans la faiblesse du lien social qui fait désormais de ces grandes affirmations une position idéologique partisane. Si, par exemple, vous croyez que l'État-Providence a coûté trop cher et qu'il faut lui faire subir une cure d'amaigrissement, vous applaudissez aux coupures proposées un peu partout. Si vous estimez que plusieurs se laissent vivre aux frais de l'État et qu'il faut rééduquer par le travail forcé ces délinquants sociaux, vous prenez facilement appui sur le principe de la responsabilité individuelle et sur celui de la coercition publique. Chacune de ces positions exprime ainsi une prise de position particulière et influence la façon concrète de voir la crise de la fiscalité.

Est-ce à dire que tout discours commun sur la fiscalité soit désormais devenu impossible et qu'il ne reste que l'affrontement des discours d'intérêts particuliers? Sommes-nous réduits à subir le jeu des groupes d'intérêts les plus forts qui cherchent à s'approprier l'État et par conséquent l'avenir de la fiscalité? À moins de croire que les idées justes tombent du ciel, il est évident qu'il nous appartient de dire non. Il nous revient plutôt d'accentuer notre participation au jeu démocratique et de chercher à convaincre de plus en plus de citoyens et de citoyennes de la nécessité d'un nouveau contrat social.

Nécessité d'une analyse rigoureuse

Pour y arriver, une analyse de la situation actuelle de la fiscalité est ici indispensable afin de montrer qu'il y va de l'intérêt du plus grand nombre de retrouver un minimum de solidarité économique. Nous savons maintenant que, depuis 1970, au fédéral, l'impôt des particuliers a augmenté et celui des entreprises a diminué. Le fardeau fiscal a donc été transféré davantage vers les particuliers. Or une part de plus en plus importante des impôts ne revient pas en services à la population ou encore aux entreprises, mais va payer des intérêts à ceux qui détiennent des obligations. Et une part grandissante de cet argent part à l'extérieur du pays, ce qui équivaut à une fuite de capitaux. L'analyse permet alors de comprendre certains phénomènes, dont le ras-le-bol de la classe moyenne qui a vu son revenu baisser sensiblement. Mais les gens de cette classe auraient tort de blâmer les personnes plus pauvres pour leur manque à gagner, alors qu'ils risquent de les rejoindre tôt ou tard à cause de la crise majeure du travail. Il faut plutôt soutenir des coalitions qui forceront les classes plus privilégiées et les entreprises à payer leur juste part.

La difficulté d'agir

Il faudra aussi proposer des actions concrètes, à la mesure des citoyens et citoyennes ordinaires, car les décisions gouvernementales sont impuissantes à changer les choses si la population ne les soutient pas dans une large mesure. Qu'on se rappelle, à titre d'exemple, qu'une certaine part de l'argent recueilli par le gouvernement retourne à des milliers de détenteurs de fonds de pension ou encore d'obligations. Qu'on se permette aussi de vérifier si les exemptions d'impôt des églises et des communautés religieuses se traduisent vraiment dans un service prioritaire des populations les plus appauvries. Il me semble que de telles tâches font partie d'une préoccupation éthique pertinente.

Avouons que nous ne disposons actuellement, dans les réseaux ecclésiaux, d'aucun outil approprié. Une analyse sommaire des messages officiels des évêques du Québec ne montre aucune lettre sur le sujet. Il en est vraisemblablement de même dans les diverses Églises diocésaines. À ma connaissance, aucune équipe de travail nationale ne s'est donné pour tâche de déblayer le terrain. Les *Journées sociales* de mai 1995, à Sherbrooke, ont certes démystifié certains pouvoirs financiers, mais elles n'ont pu que constater la nécessité d'aller plus avant dans la connaissance des rouages de la fiscalité. Par contre, il existe, dans d'autres milieux, syndicaux, par exemple, certains outils qui ont amorcé le travail. Je pense en particulier au document *La fiscalité autrement*, de la CSN, 1994. Ou encore à celui de Léo-Paul Lauzon du Département des sciences comptables à l'UQAM: *Pour une fiscalité équitable* (novembre 1993).

Rendre à César...

Si l'on voulait se motiver à entreprendre un tel travail, il suffirait de constater que l'option pour les personnes appauvries doit aujourd'hui emprunter le chemin tortueux d'une réforme de la fiscalité. À cet égard, il serait sans doute stimulant de revoir la fameuse réponse attribuée à Jésus au sujet de l'obligation de payer l'impôt à César. En répondant de redonner à César ce qui lui appartient et à Dieu ce qui lui revient, Jésus fait deux affirmations qui n'ont pas grand-chose à voir avec la séparation des pouvoirs. La première consiste à renvoyer ses auditeurs à la monnaie de l'empire et à l'usage qu'ils en font dans leurs opérations commerciales, et donc de ne rendre rien d'autre à César, car il n'est pas Dieu. La seconde insiste pour rappeler qu'il faut rendre à Dieu ce qui lui appartient. Or ce qui lui appartient, c'est le culte, fait de la pratique de la justice et de l'amour du prochain. Ce qui lui appartient, c'est aussi le peuple, celui qui est écrasé sous le joug des impôts et des préceptes imposés par ceux qui savent. Remettre le peuple à Dieu, c'est donc se donner le moyen de contester de façon permanente tout pouvoir, qu'il soit financier, religieux ou étatique, et s'engager avec lui à la libération du grand nombre. Si nous retrouvons nous-mêmes une telle solidarité avec le peuple ainsi compris, nous pourrons sûrement contribuer à retisser de nouveaux liens sociaux et travailler, avec beaucoup d'autres, à une réforme en profondeur de la fiscalité. Peut-être en sortira-t-il un jour une «bonne nouvelle» pour tout le peuple!

Convictions, enjeux et pistes d'avenir

Michel Beaudin
Faculté de théologie, Université de Montréal

Guy Paiement
Centre Saint-Pierre, Montréal

Les *Journées sociales* 1995 auront marqué l'atteinte de nouveaux seuils dans la conscience sociale des participants et participantes, en particulier en ce qui concerne les questions financières et leur impact sur la société. De l'avis unanime, les nombreux ateliers et l'apport de personnes-ressources compétentes auront permis de démystifier ces questions et auront donné lieu à des débats utiles sur l'emprise du pouvoir financier sur nos vies et sur notre devenir collectif. Nous ne saurions rendre compte ici de la richesse de cette expérience dont la fécondité s'exprimera d'abord dans nos interventions à venir. On en trouvera cependant un écho indirect dans les débats en plénière qui ont suivi la présentation des rapports régionaux, la conférence de Yves Séguin et un panel avec Jean Charest et Patrice Martin. La teneur tant de ces débats que des enjeux et priorités dégagés dans une autre série d'ateliers, ou encore des suites envisagées par les ateliers régionaux, nous a semblé très révélatrice des fortes convictions qui se font maintenant jour.

Écho des plénières: une société civile qui se ressaisit

Au niveau du ton comme à celui des propos entendus, un leitmotiv a couru à travers tous les débats en plénière: l'avenir passe par la résurgence de la société civile, par la reconquête de son autonomie d'analyse et d'action et par sa maîtrise de l'économie et de l'État. Étayons quelque peu cette affirmation en suivant au plus près les interventions des participantes et des participants. Il sera d'abord question du diagnostic général sur la situation, puis des manifestations de la nouvelle autonomie de la société, et ensuite du rapport inédit que celle-ci tend à établir respectivement avec l'économie et avec l'État. Dans chacun de ces cas, on intégrera aussi bien les dimension idéologique et éthique évoquées que les perspectives alternatives entrevues.

Un constat: impasse du néo-libéralisme et scepticisme vis-à-vis des gouvernements

Le mouvement social a vite déchanté après la tenue des commissions régionales sur l'avenir du Québec. Au lieu du projet de société formulé par des voix convergentes, un autre projet a continué de s'imposer: celui d'un néo-libéralisme qui axe l'économie sur une compétition mondiale tous azimuts, qui la soumet à la seule logique des marchés financiers internationaux, et qui enlève aux États, souvent avec la complicité même de ceux-ci, tout levier de contrôle. Prises au piège, les populations se sentent abandonnées et livrées à leurs nouveaux maîtres pour qui les emplois et les programmes sociaux sont le dernier souci, quand ils n'y voient pas des obstacles au profit, passibles d'un «dégraissage». Aussi souligne-t-on, avec justesse, qu'à mesure que s'intensifie l'activité économique ainsi conçue, l'exclusion s'accroît dans les mêmes proportions. Par ailleurs, une fois l'État exproprié en faveur d'une minorité, la démocratie politique et la citoyenneté deviennent dérisoires. Quand on n'a plus de prise sur les décisions vitales, peut-on dire qu'on est encore en démocratie? La question se pose crûment dans les choix fiscaux et budgétaires. D'où un fort scepticisme vis-à-vis de tous les gouvernements: «Il faut leur dire que nous ne les croyons plus.»

Enfin, on constate aussi que l'idéologie néo-libérale, puissamment relayée par un grand nombre d'économistes, par le lobby des affaires, par les grands médias et même par les gouvernements, s'impose partout de façon totalitaire comme s'il n'y avait qu'*une* seule façon de penser et d'exercer l'activité économique et politique. Au total, la dynamique semble avoir réuni toutes les conditions de destruction de l'espérance et d'annihilation de toute résistance.

Et pourtant, les participants et participantes des *Journées sociales* ont fait entendre un autre son de cloche. En affirmant qu'était venu le temps de sortir du désabusement et de la morosité, ils sont allés bien plus loin qu'un simple diagnostic navré, témoignant ainsi qu'on ne saurait faire taire la dignité humaine et la créativité qui surgit toujours des initiatives de mise en commun des talents.

Une société se lève

Dès la première plénière, s'est exprimée sur tous les tons la conscience de la nécessaire *autonomie* de la société et selon des paramètres qui paraîtront bien étranges, aussi bien à la logique marchande qu'à celle des administrations gouvernementales actuelles. Cela commence par une autre image de soi, dans le mouvement social comme chez les individus, une image qui invite à «apprendre à être dissidents et délinquants plutôt que de s'en remettre à des solutions toutes faites à l'avance et qui n'ont pas donné de résultats». Qui invite à «ne plus avoir honte de parler d'utopie et même de social». «Il faut oser être poètes et même révolutionnaires». L'autonomie signifie aussi de nous donner une information critique et une analyse à partir de nos propres bases au lieu de nous laisser mystifier par celles des économistes et des gens d'affaires. Elle appelle à mener une analyse continue comme la vie qui change sans cesse, et à partager notre expertise; à retrouver notre imagination et à sortir notre pensée du carcan de la raison instrumentale qui avale tous les domaines de la vie; à nous donner nos propres critères d'intervention, ciblant nos objectifs et les articulant dans un plan communautaire. Enfin, l'autonomie du sujet social s'exprime ultimement dans une autre vision du développement, qui privilégie une approche intégrée et équilibrée de l'économique, du social, du politique, du culturel et de l'écologique (territoire), seule prometteuse de solutions.

Conscients que les entreprises et l'État ne créeraient pas spontanément une place à ce troisième acteur qu'est la société, les intervenants ont souligné fortement la nécessité pour celle-ci de se rebâtir sur ses propres bases, à commencer par de *nouvelles attitudes* comme celle de cesser d'être spectateurs pour devenir acteurs et former une opinion publique vigilante, une sorte de «*social correctness*», pour faire contrepoids à l'orthodoxie néo-libérale ou à l'*economically correct*. Et surtout de sortir du silence et de l'indifférence individualiste qui font dire, par exemple: «À 50-55 ans, je m'en irai, je m'en fous!» En effet, le monde où l'on vit nous ressemble et il serait illusoire d'attendre que l'économie et l'État reflètent autre chose qu'une société civile divisée et même atomisée. Une autre éthique s'impose donc à la source d'une reprise en main de son destin par la société.

Une redéfinition du rapport à l'économie

Au cours des décennies de l'après-guerre, une économie généralement profitable aux populations et étroitement réglementée par l'État avait détourné notre attention critique des acteurs économiques eux-mêmes pour la concentrer sur l'instance gouvernementale. Par ailleurs, la protection de l'État-providence à l'égard des citoyens semblait rendre superflue une solidarité sociale active. La crise, puis le choix du modèle néo-libéral par les pouvoirs économiques et politiques nous ont brutalement rappelé qu'un projet de société favorable n'était jamais un acquis définitif. Les années 1980 et 1990 ont forgé une conscience nouvelle que la société doit définir elle-même son projet et y intégrer à leur *juste place* l'économie et la politique au lieu d'être à la remorque de celles-ci. Ce renversement de perspective semble être à la source des critiques et des propositions qui se sont fait entendre aux *Journées sociales*.

La critique principale vis-à-vis de l'économie touche d'abord sa libéralisation à l'échelle mondiale, qui laisse peu de marge de manœuvre aux instances nationales dont les leviers avaient été conçus pour des territoires économiques coïncidant avec leur juridiction politique. On dénonce particulièrement l'appropriation de la planète par les pouvoirs financiers. Ceux-ci exercent un contrôle tel que les gouvernements paraissent ne plus être maîtres de leurs choix budgétaires et politiques et se voient interdire toute tentative de réglementer l'activité financière (ex. refus de la taxe Tobin). Il en résulte une perte d'autonomie et d'autosuffisance des peuples, leur mise en compétition externe pour leur survie et leur fractionnement interne en couches et catégories de pauvreté. En un mot, l'économie mine la démocratie et le développement.

Dans ce contexte, on regrette certaines manœuvres des gens d'affaires qui, par exemple, entretiennent des liens trop étroits et non transparents avec les politiciens, ou qui ne s'engagent pas vraiment dans des voies de solution, tel le partage du travail. On note aussi que les médias, contrôlés en grande partie par les Paul Desmarais et Conrad Black, nous martèlent les slogans du grand patronat, comme celui du «déficit zéro», ou encore nous laissent croire que la seule solution, c'est de «nous prendre en mains», cherchant ainsi à nous conditionner à ne plus rien attendre des pouvoirs.

Le regard traditionnel se portait sur l'État. Sans nier les lacunes de celui-ci, les participants ont cependant clairement exprimé que le déficit de la fonction *redistributrice* de l'État tenait d'abord au déficit de la fonction *distributrice* de richesse de l'économie elle-même. C'est donc de ce côté qu'il faudrait surtout se tourner, et cela en deux sens: d'abord, presser les instances économiques de tenir compte du social, surtout en ce qui concerne l'*emploi* qu'on considère comme le premier moyen de distribution de la richesse; ensuite, envisager une économie communautaire comme telle, c'est-à-dire un mouvement social qui sache à la fois revendiquer et s'engager lui-même dans la création de richesses. Il y a là l'intuition qu'à côté du principe de marché, il y a place pour un autre principe économique, celui de la réciprocité, et que «l'idéologie néo-libérale est irréconciliable avec l'esprit communautaire». Notre histoire est riche d'expériences en ce sens, en particulier dans les régions et du côté de la contribution des femmes.

Enfin, pour traduire la perspective de solidarité souhaitée en économie, quelqu'un a évoqué un principe avancé par l'abbé Pierre: partir de la priorité des plus démunis et des besoins de base (toit, travail, alimentation...) puis monter, au lieu de partir des plus nantis de sorte qu'il ne reste plus rien pour les autres. C'est un autre modèle de développement qui se profile ici.

Ramener l'État à sa finalité sociale

Si les participants ont parlé encore plus de l'État, ce n'est pas qu'il pèse davantage que les forces économiques, mais parce qu'en tant qu'instance *publique*, il constitue le principal levier collectif ou *politique* d'une population pour infléchir l'organisation sociétale en sa faveur. C'est sur fond de cette conscience de la finalité sociale de l'État que les interventions ont évalué l'évolution actuelle des gouvernements et indiqué des voies d'avenir autres.

Si les forces du marché ont pris le dessus, personne n'est dupe de la collaboration active apportée par les gouvernements. Ne sont-ils pas responsables d'avoir modifié les règles du jeu en direction du principe de libre-échange comme s'il s'agissait d'un principe divin? Et, au plan interne, les élus fédéraux (et dans une large mesure, provinciaux) ne croient plus en l'État, travaillant activement, depuis au moins ù5 ans, à son «auto-abolition». C'est ainsi qu'après avoir dénoncé les politiques monétaristes des Conservateurs, les Libéraux se sont empressés de les reconduire. Coincés, les gouvernements se mettent à parler de régionalisation des responsabilités, mais ce langage vertueux cache, en fait, une régionalisation de la décroissance et de la pauvreté.

Observant que la démocratie parlementaire, confisquée par les officines du pouvoir économique, se dérobe et que les partis politiques ne constituent plus vraiment des alternatives, les populations sentent confusément qu'il faut recréer à la base le processus démocratique. «Le gouvernement, c'est nous»; «il nous faut développer un langage du pouvoir et prendre notre pouvoir», a-t-on entendu. Puisque les autorités politiques gouvernent davantage par sondage qu'à partir d'un projet de société et qu'ils ne bougent que devant le nombre, on saisit qu'il faudra former une opinion publique forte et active.

Par ailleurs, il n'est pas question de tomber dans le piège d'une dévalorisation de l'État en tant que tel, qui ferait le jeu d'un néo-libéralisme qui veut «faire croire que l'État ne peut plus rien faire, que plus il y a de l'État pire c'est, et que nous devons nous en remettre à nous-mêmes comme individus». L'enjeu est plutôt de mettre fin à notre propre dé-responsabilisation, de ne pas prendre l'État comme bouc émissaire, mais bien de reprendre l'initiative et de donner un mandat à l'État, correspondant à nos propres objectifs de société. Lui seul, par exemple, et non des citoyens isolés, pourrait encadrer les marchés financiers. Un État responsable et soutenu par une société formant un *Nous* fort ne pourrait plus jouer, par exemple, à cet opportunisme qui tantôt fait revendiquer le crédit de toute création d'emploi, tantôt met entièrement sur le dos de la mondialisation les coupures dans les programmes sociaux.

Dans le cadre de cette redéfinition des rapports de la société à l'État, trois autres pistes ont retenu l'attention des participants: les questions budgétaires et fiscales, l'emploi et le rôle du mouvement communautaire face à la déresponsabilisation sociale des gouvernements.

Sur les questions financières, les participants ont, bien sûr, endossé les accusations de M. Séguin concernant le gaspillage des fonds publics ou les dépenses désordonnées, mais il y a plus. L'absence de crédibilité des gouvernements, quand ils demandent de nouveaux «sacrifices» à la population, tient à deux autres éléments au moins: d'abord la conviction que les seuls objectifs financiers ne peuvent tenir lieu de projet de société et que cet «oubli» des gouvernements, obnubilés par la réduction des déficits, les amène à démanteler la société plutôt qu'à l'améliorer; ensuite, l'impression fondée que les déficits sont davantage dus à la faiblesse des revenus qu'à des dépenses sociales exagérés, en somme, qu'il y a injustice fiscale. Selon M. Séguin, les exonérations fiscales des compagnies et des particuliers au Canada s'élèveraient à 48 milliards $. La propagande patronale détourne l'attention de ce nœud du problème. Une société où des secteurs s'enrichissent à grande vitesse pendant que d'autres s'écroulent appelle une réforme fiscale sans laquelle la justice sociale restera un vain mot.

Au chapitre de l'emploi, on attend des gouvernements non pas qu'ils ne fassent que redistribuer la richesse, mais qu'ils aident aussi les exclus à redevenir des acteurs du développement, des acteurs de la création de la richesse. Ils doivent aussi favoriser le partage du travail en partenariat avec les autres acteurs économiques et sociaux et maintenir une saine réglementation pour protéger le travail. Et, évidemment, ils devraient tenir leurs promesses électorales en termes de création d'emploi. Leur cynisme, à cet égard, a depuis longtemps dépassé les bornes.

Enfin, il a été réaffirmé que le développement de la société civile, à travers les initiatives du mouvement communautaire, se devait d'éviter le piège de servir de sous-traitant à l'État dans la gestion que celui-ci fait de la pauvreté. L'État ne doit pas être abandonné au pouvoir financier et aux entreprises. Une table de concertation sur la pauvreté à Longueuil, par exemple, a été exemplaire à cet égard: en plus d'attirer l'attention de la population sur le problème, elle a cherché à susciter des changements politiques tout en poussant le développement communautaire en direction de l'économie. On ne peut être dupe du discours du «partenariat» adressé aux syndicats et aux organismes communautaires pour en faire des agents de politiques décidées ailleurs et pour solliciter leur caution. C'est une partie difficile en raison de la précarité des groupes, mais faire autrement n'aboutirait qu'à intégrer la pauvreté à la bonne marche d'un néo-libéralisme socialement déresponsabilisé.

Un écho des ateliers: quelques enjeux et priorités

Dans les ateliers, les participants et participantes des *Journées sociales* ont insisté, en premier lieu, sur la *nécessité de développer leur conscience sociale et critique* pour ce qui a trait à la place occupée par le pouvoir de l'argent. Ce dernier peut être compris de deux façons: il peut s'agir de la place que nous accordons à l'argent dans notre échelle de valeurs. Le critère de la dignité incontournable des personnes permet alors de retomber sur ses pieds et de mieux jauger l'écart que nous constatons entre ce critère, nos grands discours et nos pratiques quotidiennes. On a nommé, à titre d'exemple, le manque de questionnement au sujet des placements effectués par les fonds de pension ou encore par les fondations. La deuxième façon concerne l'organisation sociale du pouvoir de l'argent. Il nous faut alors constater que nous avons encore des classes à faire sur ce sujet, car c'est un monde qui nous est moins familier que le monde social ou politique. C'est ainsi que nous devrons aller plus loin que ce que le colloque a simplement amorcé et mieux comprendre, par exemple, les mécanismes de financement des gouvernements, la construction nationale et internationale de la dette et, plus près de nous, le fonctionnement de nos Caisses populaires et les façons de les inciter à retrouver leur responsabilité sociale.

En deuxième lieu, nous convenons d'*apprendre à diffuser* les informations apprises. Nous conservons trop souvent pour nous-mêmes nos expériences les plus fécondes au lieu de penser en termes d'interventions plus larges. On pense ici à l'information alternative que nous découvrons, qu'il s'agisse d'un fonds populaire de prêts à intérêts peu élevés ou, plus largement, de certaines expériences de prise en charge économique et communautaire du milieu. Soulignons que nous y gagnerons à être réalistes et à nous donner les moyens de nous faire entendre des médias. Sans une telle intervention, nous n'arriverons jamais à changer quelque peu le rapport de forces actuel et les gens continueront de croire que la pensée officielle néo-libérale demeure la seule présente et la seule utilisable.

Enfin, en troisième lieu, nous nous sommes attardés à *l'intervention politique*. Il est illusoire de penser que les gouvernements vont chercher à encadrer les pouvoirs financiers si la population ne fait pas pression en ce sens. Il est aussi simpliste de croire que nous pourrions nous donner des lois dans notre coin de pays sans chercher à obtenir des législations plus larges, internationales même. Chose certaine, il vaut la peine d'exiger de nos gouvernants des efforts dans cette direction. Il nous faudra aussi examiner la pertinence d'une taxe imposée aux entreprises qui se servent des technologies pour abolir des emplois, et développer un boycottage des entreprises qui feraient du chantage devant une telle imposition. D'autres ont mentionné l'idée d'une taxe plus importante sur les profits des banques et une autre sur les opérations effectuées à la Bourse. Plusieurs ont fait part de leur colère devant les abus actuels des pouvoirs financiers qui n'ont pas de compte à rendre à la population, mais qui peuvent appauvrir tout un pays sans se préoccuper des conséquences sociales de leurs opérations.

À notre niveau, il est tout de même possible de chercher à mettre en commun certains de nos services et à diminuer ainsi les coûts. Il est aussi possible de travailler à développer l'esprit démocratique dans nos organisations et d'apprendre à négocier entre nous quand il est question de demander des subventions gouvernementales. Souvent, la foire d'empoigne fait son apparition dès qu'il est question, pour les groupes, de demander une subvention à un même bailleur de fonds. Nous nous entendons aussi pour consolider Solidarité Populaire Québec dans les diverses régions et pour soutenir, en particulier, le désir de plusieurs groupes de Montréal de voir un rassemblement efficace pour la métropole. L'horizon de tous ces regroupements devrait être celui du développement local, car c'est un tel objectif qui pourrait permettre de travailler à intégrer les développements social, communautaire, économique et culturel dans une sorte d'utopie concrète et à notre portée. Nous aurions ainsi une façon de traduire ce fameux «projet de société» que nous portons tous et toutes, sans toujours en tirer les conséquences pratiques pour nos diverses organisations.

Quelles suites en régions?

Avant de se quitter, les participants et les participantes se sont regroupés selon leur région d'appartenance pour se demander s'ils pouvaient dégager des suites pratiques. Toutes les régions ont alors décidé de tenir une rencontre d'information sur les résultats du colloque. Certaines prévoyaient en parler dans leur lieu habituel de concertation, d'autres songeaient à une rencontre dont elles auraient l'initiative. Malgré les différences, toutes les régions ont souligné l'importance de donner des suites et de travailler à faire circuler les réflexions et les intuitions du colloque dans leurs regroupements locaux. L'analyse qui a précédé le colloque a, en effet, montré la fragilité des concertations existantes et le peu de développement solidaire à l'œuvre.

Quelques-uns ont noté la difficulté de s'entendre pour mieux déterminer des objectifs communs dans leur région. Les actions sont trop souvent des réactions à des initiatives prises par le gouvernement ou par une entreprise locale. Il faudra alors davantage retrouver notre propre terrain et mieux cibler les objectifs communs à promouvoir. Peut-être, a-t-on souligné, la difficulté de la concertation qui a été identifiée vient-elle aussi de ce manque d'initiative de la part des divers groupes, car les efforts déployés pour réagir laissent alors peu d'espace et de temps pour faire autrement. Une autre difficulté, qui a été mieux identifiée au cours du colloque, vient de l'allergie de plusieurs groupes communautaires devant le monde économique et financier et le peu d'outils qu'ils se sont donnés jusqu'ici pour mieux comprendre ce qui se passe dans ce domaine. À cet égard, au moins un groupe, celui de Montréal, a décidé de se doter d'un comité du suivi pour aller plus avant dans la compréhension du pouvoir financier et pour chercher des façons concrètes de poser des gestes à sa mesure.

On reconnaît, de façon générale, que les communautés chrétiennes en sont encore à l'ABC à ce sujet. Plusieurs personnes ont admis qu'elles en étaient à leur première mise en commun en Église sur les préoccupations économiques. Il y a là une lacune à corriger, quand on considère combien de communautés, souvent très engagées dans des initiatives de dépannage alimentaire, vestimentaire ou autre, n'arrivent pas à s'interroger plus avant sur l'augmentation accélérée du nombre de pauvres. Découvrant que le développement économique ne peut se réduire au développement communautaire pourtant indispensable, plusieurs se rendent compte qu'ils doivent s'associer à tout le mouvement social qui cherche à dépasser le simple quémandage pour peser sur les modalités sociétales de la création et de la redistribution de la richesse. On se propose donc de faire entrer davantage l'Église et la théologie «en économie». Et cela, jusqu'au cœur des eucharisties, là où le Christ choisit humblement d'être porté par le pain et le vin, «fruit du travail des humains», appelant par là l'économie à traduire en «bonne réalité» pour tous et toutes la «bonne nouvelle» de l'amour de Dieu.

*
* *

Au moment de la clôture des *Journées sociales* 1995, M. Louis O'Neill, président du Comité organisateur, a peut-être résumé au mieux, en quelques «impressions», les convictions, enjeux et pistes d'action surgies des débats. Il a d'abord évoqué l'urgence d'une attitude de résistance à l'encontre du fameux «on est né pour un petit pain». Résister à la régression sociale, à la pensée unique et au sentiment d'impuissance. Il a ensuite voulu suggérer une réappropriation de l'information pour échapper à l'unilatéralisme de celle que distillent les médias. Tout commence par l'information qui démystifie, qui permet de juger par soi-même, et qui donne du pouvoir. Ce mouvement doit déboucher sur un rapatriement de la puissance économique qui doit devenir notre affaire, celle des citoyens. Nous pouvons recommencer la «multiplication des pains», mais pour cela, il faut d'abord vaincre la résignation et devenir compétents en économie.

L'autre volet, c'est le rapatriement, par la démocratie, du pouvoir politique qui permet de passer de l'exclusion à une pleine citoyenneté. La seule attitude d'opposition n'est plus suffisante pour changer le cours des choses. Enfin, au terme, M. O'Neill invitait les chrétiens et les chrétiennes à puiser éclairage et souffle dans l'héritage de l'enseignement de l'Église, dont des pans entiers redeviennent d'actualité en ces temps de crise. Il évoquait ainsi la remarquable continuité, depuis l'Ancien Testament jusqu'à nos jours, d'une relativisation des obligations de l'endettement quand le prix à payer va jusqu'à compromettre les conditions de vie et la dignité dans un quasi-esclavage.

Pour nous, à travers toutes les voix entendues lors de ces *Journées sociales*, c'est notre humanité commune qui, blessée par l'injustice, résiste et se fait souterrainement créatrice d'une nouvelle vision et d'une société différente.

Une première intervention

Lettre au premier ministre du Canada
à l'occasion de la rencontre du G-7 à Halifax
et réponse du ministre des Affaires étrangères

Monsieur Jean Chrétien
Premier ministre du Canada

Monsieur,

Nous sommes près de 300 personnes rassemblées à l'Université de Sherbrooke à l'occasion des Journées sociales 1995.

Nous venons des différentes régions du Québec et du Nouveau Brunswick et travaillons avec des milliers de nos concitoyens et concitoyennes qui souffrent de l'appauvrissement et de l'inégalité dans la répartition des ressources.

Nous savons que cette situation inacceptable est souvent causée et aggravée par les soubresauts incontrôlés du système financier international.

Nous savons aussi que vous allez participer à la rencontre du 6-7 juin 1995 à Halifax et qu'il y sera question de la crise du système financier mondial.

Voilà pourquoi nous vous demandons avec force de plaider la cause des millions de personnes qui, ici comme ailleurs, souffrent de plus en plus des jeux financiers. Il faut de toute urgence trouver des mécanismes pour civiliser et dénoncer le pouvoir financier international. Nous croyons qu'il faut arrêter de jouer avec la vie des gens comme on le fait actuellement, car à semer ainsi le vent, les gouvernements décideurs politiques se préparent toute une tempête.

Yvonne Bergeron
Service de pastorale sociale
Diocèse de Sherbrooke
78, rue Académie
Sherbrooke, Qué.
J1H 1M7

16 août 1995

Madame Yvonne Bergeron
Service de la pastorale sociale
Diocèse de Sherbrooke
78, rue Académie
Sherbrooke (Québec)
J1H 1M7

Madame,

Le Cabinet du Premier ministre m'a fait parvenir une copie de la lettre que vous lui avez adressée concernant votre intérêt pour l'ordre du jour du Sommet de Halifax, tout particulièrement, en ce qui a trait à la spéculation monétaire et à la volatilité des flux de capitaux.

Cette question a été discutée de façon approfondie par les leaders à Halifax. Leurs discussions ont produit de nombreuses propositions de collaboration en matière de politique macro-économique afin d'éviter, à l'avenir, l'instabilité des marchés mondiaux. Pour plus de renseignements, je vous invite à consulter la section *Relever les défis du XXIe siècle* dans le communiqué ci-joint. Notre engagement envers le développement durable et la réduction de la pauvreté demeure indéfectible et nous avons pris des mesures pour alléger l'endettement multilatéral de nombreux pays parmi les plus pauvres au monde.

Je crois que le Sommet de Halifax nous a permis de faire des progrès significatifs sur ces questions et je vous remercie de l'intérêt que vous portez au Sommet du G-7.

Je vous prie d'agréer, Madame, l'expression de mes salutations distinguées.

André Ouellet

Déclaration
des Journées sociales 1995

«Cessez de jouer avec nos vies!»

Ce cri d'impatience et de colère résume assez bien l'état d'esprit des quelque 300 personnes réunies à l'Université de Sherbrooke pour la deuxième rencontre nationale des *Journées sociales*.

Rassemblant des membres de groupes populaires, syndicaux, de femmes, ou universitaires, et appartenant, pour la plupart, à des réseaux multiples de chrétiens et de chrétiennes, les *Journées sociales* 1995 se sont interrogées sur le pouvoir financier qui semble échapper au contrôle des gouvernements (quand ceux-ci ne s'en font pas les fervents promoteurs) et qui hypothèque les efforts des régions pour réaliser un autre développement.

Les participants et participantes ont exploré en ateliers les diverses facettes de ce pouvoir financier en démasquant le discours officiel sur la dette et les taux d'intérêts, ainsi que la démission du gouverne-

231

ment devant les activités de la Bourse et les abris fiscaux.

Principal conférencier, Yves Séguin, fiscaliste, a montré, sans difficulté, le gaspillage effectué dans l'appareil gouvernemental et le manque déplorable de volonté politique pour changer la situation; d'où ce scepticisme croissant de la population qui met en cause le fragile contrat social existant.

Les personnes présentes ont réaffirmé leur décision de s'impliquer davantage pour exiger une réforme de la fiscalité, pour inciter les gouvernements à encadrer et limiter le pouvoir des banques et de la Bourse. Elles ont insisté sur l'urgence de talonner les élus sur ces questions et de ne pas se taire devant ce déficit de la vie démocratique qui est beaucoup plus grave que notre déficit national, car il touche notre volonté même de vivre ensemble.

Le colloque avait été précédé par une enquête-terrain dans les diverses régions du Québec pour vérifier l'état des solidarités économiques et prendre la mesure d'un développement plus solidaire. Il en est ressorti un portrait assez suggestif des efforts déployés, dans tous les coins du Québec, pour unir le développement social et le développement économique.

Au terme du colloque, les gens ont amorcé des façons concrètes de poursuivre leur travail à la base. Ils ont convenu de faire circuler les « bons coups » et de développer, pour y arriver, les capacités d'intervention de *Solidarité-Populaire-Québec*.

Soulignons qu'un jeu théâtral, le samedi soir, avait permis de renouer avec les luttes de la population lors de la fameuse grève d'Asbestos et de nourrir cette «mémoire dangereuse» qui continue d'exiger un autre projet de société que celui qui prévaut actuellement.

Enfin, comme dernier geste, l'assemblée décida d'envoyer une pétition au premier ministre du Canada, lui demandant d'intervenir à la rencontre du G-7 pour encadrer le pouvoir financier international et faire en sorte que l'on arrête, à tous les niveaux de jouer à la Bourse avec nos vies et nos régions.

Annexe

Outil de préparation aux Journées sociales 1995

1. Mise en route

Le développement solidaire

1. Qu'est-ce qu'on entend par développement socio-économique?

2. Quand peut-on dire qu'il est solidaire?

2. Analyse

Développement en région

1. Se fait-il du développement dans ma région?

2. Si oui,
    — par qui?
    — dans quels secteurs?
    — par quels moyens?

Les réseaux de développement solidaire

1. Y a-t-il dans ma région des réseaux de concertation entre les différents groupes ou secteurs identifiés ci-haut?

2. Si oui,
    — quels sont-ils?
    — ont-ils des succès et des acquis?
    — trouvent-ils suffisamment d'appuis ou de partenaires (groupes publics, privés, ecclésiaux)?

Les obstacles au développement solidaire

1. Quels sont les principaux obstacles au développement solidaire rencontrés dans ma région?

2. Comment les surmonter?

3. Mise en commun et échanges en vue d'un rapport à produire

LE DÉVELOPPEMENT SOLIDAIRE VISE UN DÉVELOPPEMENT QUI TIENT COMPTE DE TOUTES LES PERSONNES ET DE LEUR INTERDÉPENDANCE, ET QUI IMPLIQUE ACTIVEMENT CES PERSONNES.

Remerciements

Le Comité organisateur des Journées sociales 1995 adresse ses plus vifs remerciements aux personnes et aux organismes suivants pour leur appui financier ou pour leur collaboration:

Le Fonds Gérard-Dion

Les Évêques du Québec

Le Comité des affaires sociales de l'A.É.Q.

La Confédération des syndicats nationaux

Les Caisses populaires Desjardins de l'Estrie

Le Conseil des travailleuses
et travailleurs de l'Estrie (FTQ)

Le Syndicat de l'enseignement de l'Estrie

L'Union des producteurs agricoles de l'Estrie

L'Université de Sherbrooke

La Faculté de théologie de l'Université de Sherbrooke

La Faculté de théologie de l'Université Laval

La Faculté de théologie de l'Université de Montréal

Le Département des sciences religieuses
et d'éthique de l'UQAR

Le Département des sciences religieuses de l'UQAC

Le Centre Saint-Pierre de Montréal

Les Services diocésains de pastorale sociale
et leurs responsables

Le Service de la pastorale sociale
du diocèse de Sherbrooke

Le Mouvement des travailleuses et travailleurs chrétiens

Le Fonds Cardinal Maurice-Roy

Mgr Jean-Marie Fortier, archevêque de Sherbrooke

Yves Séguin, fiscaliste et conférencier principal

Toutes les personnes qui ont présenté des communications et dont on retrouvera les noms dans cet ouvrage, et auxquels nous voudrions ajouter ceux de
Nicole Dorin (Conseil du statut de la femme),
Jacques Proulx (Solidarité rurale),
Louis Ascah (économiste)

Mercédès Maltais et Michel Nault, animation

Donald Thompson et son équipe, célébration

Hélène Blais et Jean-Arseno Pearson, théâtre

Jacques Lebel, Johanne Baillargeon,
Jacqueline Boisclair et l'équipe d'accueil

Nous remercions spécialement le Fonds Gérard-Dion dont une partie de la subvention était expressément destinée à la production et à la diffusion de cette publication.

Suggestions de lectures

1. Le développement solidaire

AUBRY, François, «Quel rôle pour l'économie sociale?», *Possibles*, vol. 21, n° 2, printemps 1997, p. 65-81.

CEREZUELLE, Daniel, *Pour un autre développement social*, Paris, DDB, 1997, 224 p.

COMITÉ DES AFFAIRES SOCIALES (AEQ), *Pour un développement solidaire*, Message du 1er Mai 1991, Montréal.

——, *Pour vivre la démocratie économique*, Message du 1er Mai 1992, Montréal, 7 p.

——, *Coup de cœur pour l'emploi. Les solidarités de générations*, Message du 1er Mai 1996, 4 p.

——, CAPMO, *J'étais là, m'as-tu fait de la place?*, Message du 1er mai 1997, Montréal, 8 p.

CSN (Service de recherche), *Développer l'économie solidaire*, Montréal, octobre 1995, 50 p.

DUMONT, Fernand, *Raisons communes*, Montréal, Boréal, 1995, 255 p.

ENGELHARD, Philippe, *L'homme mondialisé. Les sociétés humaines peuvent-elles survivre?*, Paris, Arléa, 1996, 568 p.

ESTEVA, Gustavo et Madhu Suri PRAKASH, «Prologue» et «Du néo-libéralisme global à la regénération locale.

L'internationale de l'espoir», *Interculture*, vol. 29, n° 2, été-automne 1996, p. 3-14 et 15-55.

FAVREAU, L. et Benoît LÉVESQUE, Benoît, *Développement économique communautaire. Économie sociale et intervention*, Québec, PUQ, 1996, 256 p.

FONTAN, Jean-Marc et Diane-Gabrielle TREMBLAY, *Le développement économique local. La théorie, les pratiques, les expériences*, Québec, PUQ et Télé-Université, 1994, 596 p.

LAMOUREUX, Henri, *Le citoyen responsable. L'éthique de l'engagement social*, Montréal, vlb éditeur, 1996, 197 p.

LAVILLE, Jean-Louis, *L'économie solidaire, une perspective internationale*, Paris, DDB, 1994.

LÉVESQUE, Benoît et O. CHOUINARD (dir.), *L'autre économie. Une économie alternative?*, Québec, PUQ, 1989.

NOZICK, Marcia, *Entre nous. Rebâtir nos communautés*, Montréal, Éditions Écosociété, 1995.

PETRELLA, Riccardo, *Le bien commun. Éloge de la solidarité*, Bruxelles, Éditions Labor, 1996, 91 p.

RIST, Gilbert, *Le développement. Histoire d'une croyance occidentale*, Paris, Presses de Sciences PO, 1996, 428 p.

ROBITAILLE, Yves, «Vous avez dit "économie sociale"?», *Possibles*, vol. 21, n° 2, printemps 1997, p. 82-93.

ROUSTANG, Guy, Jean-Louis LAVILLE *et al.*, *Vers un nouveau contrat social*, Paris, DDB, 1996, 182 p.

SACHS, Wolfgang et Gustavo ESTEVA, *Des ruines du développement*, Montréal, Éditions Écosociété, 1996, 138 p.

EN COLL., *Défis au mouvement social*, dossier dans *Virtualités*, vol. 2, n°s 3-4, avril 1995.

EN COLL., *L'économie pour ou contre la société?*, dossier dans *Virtualités*, vol. 2, n° 5, juin-juillet 1995.

Revue *Économie et solidarité*.

Revue *Solidarités*, publiée par Développement et Paix.

Cahiers du CRISES (Collectif de recherche sur les innovations sociales dans les entreprises et les syndicats), Département de sociologie, UQAM, Montréal.

2. Le pouvoir de l'argent

ASSEMBLÉE DES ÉVÊQUES DU QUÉBEC, *Responsables et solidaires. Des moyens pour sortir de la crise*, Montréal, décembre 1996, 16 p.

BERNARD, Michel et Léo-Paul LAUZON, *Finances publiques, profits privés. Les finances publiques à l'heure du néo-libéralisme*, Montréal, Éditions du Renouveau québécois et la Chaire d'études socio-économiques de l'UQAM, 1996, 142 p.

CAMERON, D. et E. FINN, *Les 10 mythes sur le déficit. La vérité sur l'endettement public et les compressions injustifiables*, Ottawa, Centre canadien de politiques alternatives, 1996.

CENTRE CANADIEN DE POLITIQUES ALTERNATIVES, *L'alternative budgétaire pour le gouvernement fédéral en 1997*, Ottawa, 1997.

CHENAIS, François (dir.), *La mondialisation financière. Genèse, coûts et enjeux*, Paris, Syros, 1997, 312 p.

CSN, *La fiscalité autrement*, 1994.

DILLON, John, *Turning the Tide. Confronting the Money Traders*, Ottawa, Ecumenical Coalition for Economic Justice, Canadian Center for Policy Alternatives, 1997, 133 p.

GÉLINAS, Jacques B., *Et si le Tiers-Monde s'autofinançait. De l'endettement à l'épargne*, Montréal, Éditions Écosociété, 1994.

LAMONT, Michèle, *La morale et l'argent*, Paris, Métaillé, 1995, 318 p.

LAUZON, Léo-Paul *et al.*, *La fiscalité dans le contexte du virage à droite*, Mémoire présenté à la Commission sur la fiscalité et le financement dans les services publics, août 1996, 69 p.

McQUAID, Linda, *La part du lion. Comment les riches ont réussi à prendre le contrôle du système fiscal canadien*, Montréal, Éditions du Roseau, 1987, 406 p.

—— , *Le Canada aux enchères. Mulroney à la solde de la haute finance*, Montréal, Le Jour éditeur, 1991, 357 p.

—— , «Les effets pervers de la lutte contre l'inflation», *Bulletin d'information du Centre de ressources sur la non-violence*, mars-mai 1997, 6-8.

MORIN, Rosaire, *La déportation québécoise. Les fonds mutuels*, dossier dans *L'Action nationale*, vol. 86, n° 8, octobre 1996, p. D1-D197.

PAIEMENT, Guy, *L'économie et son arrière-pays*, coll. «Défis de société», Montréal, Fides, 1997.

—— , «La monnaie et son univers symbolique», *Relations*, novembre 1996, p. 275-277.

PAQUETTE, P., «Une nouvelle droite au pouvoir à Québec», *Relations*, n° 628, mars 1997, p. 54-59.

PERROT, Étienne, *Le chrétien et l'argent. Entre Dieu et Mammon*, Paris, Assas, 1994, 123 p.

PETRELLA, Riccardo, *Le désarmement financier*, à paraître.

Revue *Le taon dans la cité*, publiée par la Chaire d'études socio-économiques de l'UQAM.

Pour une session de formation: Centre de pastorale en milieu ouvrier (CPMO), *Le grand temple de la dette*.

Table des matières

**Membres du comité organisateur
des Journées sociales 1995**

Lise Baroni, Théologie, Université de Montréal

Yvonne Bergeron, Théologie, Université de Sherbrooke

Bernadette Dubuc, Mouvement des travailleuses
et travailleurs chrétiens (MTC)

Monique Dumais, Sciences religieuses et éthique, UQAR

Christiane Lagueux, Pastorale sociale,
Diocèse de Québec

Louis O'Neill, Théologie, Université Laval

Guy Paiement, Centre Saint-Pierre, Montréal

Florent Villeneuve, Sciences religieuses, UQAC